Evangelización en un mundo posmoderno

Evangelización en un mundo posmoderno

José Daniel Espinosa Contreras

Evangelización en un mundo posmoderno

Salem Oregón, Estados Unidos
http://www.publicacioneskerigma.org

Diseño de Portada: Publicaciones Kerigma

Pedidos: 971 304-1735

www.publicacioneskerigma.org

ISBN: 978-1-948578-74-5

Impreso en los Estados Unidos
Printed in the United States

DEDICATORIA

A todos mis hermanos en Cristo que conforman la iglesia de Dios en cualquier rincón de este planeta, por quienes imploro para sean valientes y sepan vivir de manera profética en sus respectivas realidades socioculturales.

A la Iglesia Cristiana Evangélica de Torredelcampo, que con el favor de Dios trabaja incansablemente, a través del poder redentor de Cristo, para redimir la cultura y la sociedad.

Soli Deo Gloria.

Contenido

Prólogo

Seguimos inmersos en el clima de la posmodernidad cuya reflexión y análisis fue objeto de un buen número de pensadores del último cuarto del siglo XX, y aunque ha mutado en ultramodernidad[1], transmodernidad[2] e hipermodernidad[3], que ha matizado la euforia de los primeros años posmodernos, esta no deja de ser relevante hoy día y justifica la aparición de un nuevo texto como el presente. En él, su autor, José Daniel Espinosa Contreras, nos introduce en lo que significa la posmodernidad, tanto en sí misma como en relación a la fe cristiana, con vistas a retar a los cristianos a llevar a cabo su misión evangelizadora y cultural conforme a los tiempos que corren.

Para un buen número de cristianos la posmodernidad tiene que ver con el nihilismo y el relativismo, por lo que se tiende a considerarla como un ataque al mismo fundamento de la fe cristiana, que afirma la verdad absoluta y no relativa de la revelación divina. Vista así,

---

[1] Juan Antonio Marina, *Crónicas de la ultramodernidad.* Anagrama, Barcelona 2000.

[2] Rosa Mª Rodríguez Magda, *La transmodernidad.* Anthropos, Barcelona 2004.

[3] Gilles Lipovetsky, *Los tiempos hipermodernos.* Anagrama, Barcelona 2006.

no hay diálogo posible con la posmodernidad, sino total confrontación. Espinosa Contreras admite que la mentalidad posmoderna supone un verdadero desafío lleno de escollos, "pero también de ventajas". Aquí está lo positivo y relevante de esta obra, ser capaces, como dice el autor, "de superar escollos y sacar provecho a nuestra generación. Se hace imperativo adentrarnos en la cultura, entenderla desde dentro, conocer la filosofía que la articula y dialogar con ella evitando reacciones polares".

A mi manera de entender, hay una palabra que expresa muy bien el sentir del posmoderno: *desencanto*. Desencanto con la herencia histórica y cultural recibida. Desencanto con los grandes relatos de los que se ha alimentado la modernidad. Por orden de aparición: 1) desencanto con el relato cristiano; 2) desencanto con el relato ilustrado; 3) desencanto con el relato marxista y 4) desencanto con el relato capitalista. También se puede describir como una *pérdida de fe*. Pérdida de fe en Dios, pero también pérdida de fe en los mitos que alimentaron la esperanza de los modernos: Progreso, Sociedad sin clases, Racionalismo sin mitos; Igualdad, Libertad, Solidaridad. León Felipe, el poeta español que fue posmoderno sin saberlo, lo expresa muy bien en su poema "Sé todos los cuentos":

Yo no sé muchas cosas, es verdad.
Digo tan sólo lo que he visto.
Y he visto:
que la cuna del hombre la mecen con cuentos,
que los gritos de angustia del hombre los ahogan

con cuentos,
que el llanto del hombre lo taponan con cuentos,
que los huesos del hombre los entierran con
cuentos,
y que el miedo del hombre...
ha inventado todos los cuentos.
Yo no sé muchas cosas, es verdad,
pero me han dormido con todos los cuentos...
y sé todos los cuentos.

Esta es la decepcionante sensación que atenaza al hombre moderno. Le habían pintado el paraíso, y le metieron en una *jaula de hierro* —por usar una imagen weberiana—, donde la vida sigue valiendo muy poco, es decir, nada; donde la razón ha llevado al irracionalismo y la confrontación constante; donde el progreso ha conducido a la posibilidad muy real de la destrucción atómica de la humanidad; donde unos pocos viven a costa muchos; donde la técnica ha acelerado la contaminación del medio ambiente... Y aunque los cristianos protesten y no se resignen a perder la hegemonía de lo verdadero, hace mucho tiempo que fueron silenciados por sus reiteradas negaciones y traiciones al mensaje evangélico de su fundador.

La Iglesia, como bien dice el autor de esta obra, no puede continuar más tiempo considerándose la única poseedora de la verdad, como un monopolio que manipular a su antojo.

Los cristianos no deberían escandalizarse tan deprisa por el *discurso relativista*, que no es licencia para el capricho ni el subjetivismo de cada cual, sino toma de conciencia de todo aquello que nos supera y nos desborda, pues la realidad es siempre un todo superior al que difícilmente, y por grados, puede ascender nuestra particular perspectiva espacio-temporal. Si la física clásica o mecanicista prevista por Newton reaccionó negativamente a la teoría de la relatividad de Einstein, hasta que aprendió a convivir con ella, también la teología cristiana –dogmática, bíblica o pastoral– tiene que aprender a convivir con la sensibilidad posmoderna.

Ortega y Gasset, que fue sin duda un precursor del posmodernismo[4], nos avisaba que los modernos descubrieron las posibilidades casi infinitas de la Razón, hoy nosotros vemos sus límites. Ellos saludaron su aurora, nosotros contemplamos su ocaso. Un *ocaso* creativo que nos abre un horizonte más vital, más rico en expresividad y vida humana. Esto vale también para la fe cristiana. Pero hay que saber leer bien el *signo de los tiempos*.

La *relatividad* de la verdad hace referencia al tiempo histórico del sujeto y su lugar en el espacio. No es lo mismo meditar en tiempos de guerra que en tiempos de paz. La visión de la realidad cambia cuando se mira desde el ángulo oriental u occidental. La verdad no es dada, se nos revela, en perspectiva, por no decir *perspectívicamente*, y es relativa al punto de vista que

---

[4] José Luis Abellán, "Ortega y Gasset, adelantado de la posmodernidad", en Fernando H. Llano-Alonso y Alfonso Castro, eds. *Meditaciones sobre Ortega y Gasset*, Editorial Tébar, Madrid 2005, pp. 595-604; Jacinto Sánchez Miñambres, "Ortega y el nacimiento de la posmodernidad", *El Basilisco* (21), 1996, pp. 62-63; Javier Crespo Sánchez, *La crítica de Ortega y Gasset a la modernidad y su lugar en la filosofía contemporánea*. Tesis doctoral, Universidad del País Vasco, San Sebastián 2015.

guarda el sujeto en relación a su tiempo y su situación. Hace años traté de fundamentar filosóficamente esta epistemología de la perspectiva, un camino medio entre el escepticismo y el dogmatismo[5]. Desde un punto de vista teológico podemos decir que Dios ha querido que cada cual ocupe un lugar irrepetible en el espacio-tiempo. Es la maravilla de la personalísima individualidad humana, o de la personalidad humana individualmente significada. Esto quiere decir que mi mundo es un mundo de significados personales que contribuye a la compresión de la realidad total cuando está en comunión con el resto de mis congéneres. El *perspectivismo* forma parte integral de la epistemología humana; no hay otra manera de percibir lo que nos pasa y lo que nos rodea. A menos que seamos autistas en lo metafísico querremos dar y recibir lo que pasa y ocurre más allá de nosotros. A la hora de evaluar un caso, una doctrina, una hipótesis, estamos obligados a mirar con atención a todos lados, escuchar con respeto a los demás, estar atento a lo que otros dicen, comparar y contrastar los diferentes puntos de vista con el propósito de integrarlos en una cosmovisión cristiana global, universal; integral, que integra, no que desintegra.

Por el contrario, el *relativismo* ingenuo, que no percibe ninguna verdad en las cosas o argumentos, es simplemente una dejación de deberes epistemológicos. La verdad se me da en relación y es relativa al punto de vista que represento en el mundo aquí ahora. Todos vemos en parte y *en parte conocemos* (1 Cor 13,9). Sólo

---

[5] Alfonso Ropero, *Filosofía y cristianismo*, VII.6: "La verdad es verdad en perspectiva". CLIE, Barcelona 1997.

Dios contempla con una única mirada la infinita realidad de cuanto es, ha sido y será; nosotros acotamos una pequeña parcela de la verdad, únicamente Dios lo abarca todo, no sólo es el Omnisciente, sino el *Omniabarcante*, el único que integra en su ser todas las perspectivas, contrapuestas y complementarias por igual, en un solo abrazo que no conoce límites.

El problema para los que nuestra perspectiva no es capaz de saltar por encima de los tiempos, no es profética, es cómo responder a un mundo, a una sociedad que ha pérdida la fe hasta el punto de caer en el nihilismo por desengaño, pero sin llegar a la desesperación o a la angustia que le lleve a intentar una salida o a explorar nuevos relatos o credos, que son precisamente los primeros en ser negados. Eso es lo que significa "Dios ha muerto", lo más esperanzadamente concebido por el anhelo humano: Paz, Progreso, Igualdad, era un señuelo que contenía la destrucción en su interior. No hay esperanza, solo resta vivir. Como bien dice, nuestro autor, José Daniel Espinosa, "el nihilismo de nuestra sociedad se manifiesta en la muerte de toda angustia o en la convivencia pacífica con ella. El joven rico posmoderno ya no se siente en la necesidad de ir a Jesucristo, pues o bien no percibe su gran vacío espiritual, o bien ha aprendido a convivir con él".

Este el reto al que se enfrentan las iglesias y que deben encarar con espíritu, pero también con conocimiento. ¿Cómo será posible que en esta era de desencanto podamos volver a encantar a nuestros contemporáneos con el viejo y siempre nuevo mensaje del Evangelio? El presente libro quiere ser una guía, una palabra de orientación para que el testimonio cristiano vuelva a sonar creíble y relevante. Prestemos atención a sus lecciones.

Alfonso Ropero

Introducción

La encomienda principal que Cristo dejó a su iglesia fue la de ser testigos de él, enseñando el evangelio y haciendo discípulos en todas las naciones (cf. Mt 28,19; Hch 1,8). La Gran Comisión es un mandato, no una opción. Por ende, la Iglesia debe esforzarse continuamente en desarrollar este llamado o, de lo contrario, se volverá espiritualmente enferma o improductiva, ya que trataría de funcionar de una manera distinta a la que el Señor Jesús pretendió y diseñó.

Por otro lado, en la predicación del evangelio hay tres factores fundamentales que siempre han de ser tenidos en cuenta: (1) El mensajero, esto es, la Iglesia; (2) el mensaje, a saber, el evangelio y (3) el destinatario, evidentemente, el mundo. El mensaje del evangelio es siempre el mismo. No varía. Es el mensaje de fe que ha sido transmitido a la Iglesia «de una vez para siempre» (Jud 1,3). Sin embargo, el destinario, el mundo al que va dirigido, sí está en constante devenir. La moda, la cultura, el arte, la literatura, la arquitectura, la filosofía y todas las ideologías que permean nuestra sociedad cambian a un ritmo vertiginoso. Esta es la paradoja del cristiano, que mientras tiene un Dios que no cambia por cuanto es inmutable, debe tener una manera de hablar de él, un discurso, que sí cambia. Y llevar a cabo esta importante tarea requiere el constante diálogo entre la fe cristiana y la cultura de cada época. Hablar al hombre de hoy, en el lenguaje y la situación concreta del hombre de hoy, lo que fue dicho a otros hombres en un lenguaje y una situación muy distinta a la nuestra, supone uno de los mayores retos para la fe cristiana actual.

El periodo posmoderno supone un verdadero desafío lleno de escollos, pero también de ventajas. Si deseamos ser eficaces y capaces de superar escollos y sacar provecho a nuestra generación, se hace imperativo adentrarnos en la cultura, entenderla desde dentro, conocer la filosofía que la articula y dialogar con ella evitando reacciones polares. No obstante, para discernir el lugar concreto donde nos hallamos, precisamos reconocer de dónde venimos. Por este motivo, dedicaremos las primeras páginas de este trabajo a indicar las principales características de la cultura y la filosofía precedente a la nuestra.

Luego, mencionaremos las razones que propiciaron la crisis de la modernidad y de sus principales pilares filosóficos, e influyeron en la sociedad para que esta reaccionara, dando lugar, en palabras de Lipovestsky, a una nueva mutación sociológica.

Autores como el sociólogo y filósofo Jean-François Lyotard (1924-1998) son reconocidos como los iniciadores el discurso sobre la posmodernidad, quienes también analizaron el impacto que esta tuvo en la condición humana. Desde entonces, no han faltado los estudios y reflexiones que procuran analizar de forma meticulosa este tema desde los distintos ámbitos y disciplinas, tales como el arte, la filosofía, la cultura, etcétera.

En la actualidad, encontramos multitud de publicaciones e investigaciones acerca de la posmodernidad, en libros, manuales, enciclopedias, artículos de revista y en conferencias. Algunos de los autores más importantes a este respecto, aparte del ya mencionado Lyotard, son Zygmunt Bauman, Jürgen Habermas, Gilles Lipovetsky y Gianni Vattimo, entre otros.

Cada uno de estos autores se refiere a la posmodernidad con un nombre distinto, pero todos hacen referencia a un mismo tiempo: Lyotard habla sobre posmodernidad; Bauman sobre la modernidad líquida; Habermas sobre la modernidad incompleta o inconclusa; Lipovetsky sobre la era del vacío; Vattimo sobre la época del pensamiento débil; Giddens sobre la modernidad tardía o reflexiva, etcétera.

Al analizar a todos estos autores veremos puntos en común —especialmente cuando se consideran las características de la posmodernidad— y también desacuerdos importantes, como cuando se examina, por ejemplo, el origen de la posmodernidad o cuando se establece si la posmodernidad supone una novedosa y diferente etapa a la modernidad o, por el contrario, no es más que una etapa dentro de la modernidad.

Un mínimo de sentido histórico debería llevarnos a ser críticos con la posmodernidad, reconociendo la inexorable realidad de su desafío y procurando aprovechar sus posibilidades, así como evitar sus peligros. Por ende, proseguiré señalando las características fundamentales de este nuevo periodo y aludiré a los retos que este nuevo tiempo supone para la teología y para la fe cristiana. Interactuaré críticamente con el pensamiento de diversos autores, sirviéndome a la vez de sus luces.

Finalmente, puesto que las ideologías que permean nuestra sociedad posmoderna suponen un verdadero reto para la Iglesia de hoy, procuraré aportar una serie de sugerencias prácticas para la evangelización de un mundo posmoderno, aportando una conclusión personal y abriendo un espacio para futuras reflexiones.

1
La cultura moderna

Es imposible siquiera formarse una somera idea de la cultura posmoderna sin entender previamente los ideales perseguidos en la cultura que le precede. Y es que la posmodernidad surge como una reacción de desilusión al utópico proyecto moderno. Por ende, todo estudio de la posmodernidad debe comenzar con el movimiento que, a posteriori, daría lugar a la reacción posmoderna; a saber, la modernidad.

1. Orígenes de la modernidad

Aunque a menudo se ha usado el adjetivo moderno como sinónimo de contemporáneo, actualmente la modernidad hace referencia a un periodo específico de la historia y a una ideología concreta que la acompaña. En líneas generales, la Edad Moderna hace referencia a la tercera época de la Historia Universal —tras la Edad Antigua y la Edad Media— y comprende un periodo de tiempo que se extiende desde el siglo XV —con la caída de Constantinopla en manos de los turcos, el descubrimiento de América, el Renacimiento y la posterior Reforma protestante— hasta el siglo XX[6]. Otros autores proponen, con razón, un periodo más reducido y concreto, situado normalmente entre 1789 y 1989, entre la toma de la Bastilla y la caída del muro de Berlín[7].

Sea que tomemos como referencia un periodo más amplio y general u otro más delimitado y definido, debemos reconocer factores tempranos que favorecieron este cambio de actitud social y alimentaron las utopías del hombre moderno. Entre ellos, es menester señalar:

(1) El Renacimiento y el humanismo —como movimiento intelectual y filosófico—, propiciaron el desarrollo de todas las disciplinas científicas y motivaron la creación de importantes escuelas de pensamiento filosófico. Esto dio lugar a la Revolución Científica del siglo XVI. La Edad Moderna estuvo marcada por el surgimiento de universidades y por un crecimiento sin precedentes de las ciencias, la gramática, la retórica, la literatura, la filosofía, etcétera.

(2) El descubrimiento de América, a través del cual los hombres se expanden por la geografía y comienzan a colonizar otras civilizaciones, alentando los deseos de conquista y de dominar el mundo.

---

[6] CRUZ, A., *Posmodernidad: el Evangelio ante el desafío del bienestar*, Terrassa 1996, 16-19.
[7] ERICKSON, M. J., *Teología Sistemática*, Viladecavalls 2008, 159.

(3) La Reforma Protestante es otro factor que no podemos minusvalorar. Los primeros reformadores protestantes, influenciados por el humanismo, fomentaron la responsabilidad del individuo, exhortando a los creyentes a hacer uso de sus facultades personales para crecer y desarrollarse. Además, entendían que la inteligibilidad y el aparente diseño de la naturaleza podrían ser interpretados como una evidencia de un Creador o Diseñador inteligente, por lo que debíamos estudiar las leyes de la naturaleza como una forma de glorificar al Creador.

2. Características de la modernidad

Como bien sabía Hegel, una vez que las ideas penetran en la conciencia humana, necesitan el inexorable paso del tiempo y el trabajo de la historia para ir dilucidando sus consecuencias reales.

Durante la Edad Media la ciencia reina era la Teología, que se adjudicaba prerrogativas demasiado altas, invadiendo las competencias de la ciencia. Este injusto abuso sobre la ciencia —que fue tratada con displicencia— tuvo sus consecuencias pendulares durante la Edad Moderna. La sociedad moderna había escarmentado y, en un movimiento pendular, los hombres modernos se aferraron a la tan agredida y maltratada ciencia. Empero, como bien señala Torres Queiruga: «Si al principio fue la ciencia la injustamente "agredida" y la que por eso mismo salió victoriosa, la victoria puede convertirse para ella en un riesgo importante»[8].

Cansado del oscurantismo predominante en la Edad Media, de los abusos de poder de las clases religiosas, de la tutela de la Iglesia Católica, de tener que reconocer la autoridad de Dios, y animado por las nuevas conquistas y el desarrollo de la ciencia, el hombre moderno comenzó a luchar por su autonomía e independencia personal. Ya no le era necesario creer en los mitos antiguos, ni en la superstición religiosa. El hombre moderno se rebela contra la forma de ver el mundo que dominó en la Edad Media.

En la Modernidad se abre camino la razón, que rápidamente se constituye en el nuevo tótem con el que los ideales culturales se alzarán hasta alcanzar la categoría de universales y absolutos[9]. La idea de la modernidad podría resumirse en el *dictum* o lema kantiano *«Sapere aude»*, esto es, atrévete a saber; sírvete de tu propio entendimiento[10]. Con la hegemonía del racionalismo, muchos sectores de la sociedad fueron silenciados y excluidos —entre ellos los religiosos—, porque se

---

[8] TORRES QUEIRUGA, A., *El diálogo ciencia-fe en la actualidad*, Iglesia Viva nº 242, abril-junio 2010, 43-66. Puede consultarse en: https://jesuitas.lat/uploads/el-dialogo-ciencia-y-fe-en-la-actualidad/ANDRS%20TORRES%20-%202010%20-EL%20DILOGO%20CIENCIA-FE%20EN%20LA%20ACTUALIDAD.pdf

[9] RUÍZ ROMÁN, C., *Revista Complutense de Educación, Vol. 21, Núm. 1,* 2010, 182. Puede consultarse en: http://revistas.ucm.es/index.php/RCED/article/view/RCED1010120173A/15238

[10] KANT, I.-CAMPILLO IBORRA, N. (et al.), *Crítica de la razón pura: ¿Qué es la ilustración?*, Valencia 2000, 83.

consideraban irracionales. En relación con esto, Antonio Cruz señala:

> La modernidad fue el tiempo de las grandes utopías sociales y de los grandes actos de fe. El ser humano, con la fuerza de la razón, se creyó autónomo e independiente. [...] Se confiaba en que la ciencia solucionaría todos los problemas del hombre y acabaría con la ignorancia y servidumbre de los pueblos. Se creía que las "supersticiones" religiosas dejarían de ser las muletas de la humanidad. La idea del progreso histórico fomentó la fe en un mundo cada vez mejor y más feliz. Todos los hombres modernos veían con entusiasmo y esperanza la gran marcha de la historia[11].

Gilles Lipovetsky apunta también:

> La sociedad moderna era conquistadora, creía en el futuro, en la ciencia y en la técnica, se instituyó como ruptura con las jerarquías de sangre y la soberanía sagrada, con las tradiciones y los particularismos en nombre de lo universal, de la razón, de la revolución[12].

Pero, aparte del imperio de la razón, que es sin duda la característica principal de este movimiento conocido como modernidad, encontramos otros elementos peculiares. A modo indicativo, no exhaustivo, señalamos los siguientes:

---

[11] CRUZ, *Posmodernidad,* 22.

[12] LIPOVETSKY, G.: *La era del vacío. Ensayos sobre el individualismo contemporáneo*, Barcelona 1986, 9.

- **Deseo de independencia y libertad.** La Revolución Francesa enarbolaría la divisa de «libertad, igualdad, fraternidad». El marxismo comenzaría su lucha por la libertad del proletariado y, por otro lado, la primera ola de feminismo emprendería sus protestas hasta conseguir ciertas libertades y derechos que hasta ese momento habían estado reservados para los hombres. Por supuesto, esta búsqueda de libertad tuvo repercusiones en el ámbito de la política, de la sociedad, de la religión, y demás. En la obra *El discurso filosófico de la modernidad*, Habermas cita a Hegel señalando lo siguiente:

> Cuando Hegel caracteriza la fisonomía de la *Edad Moderna* (o del mundo moderno), explica la "subjetividad" por la "libertad" y la "reflexión": "La grandeza de nuestro tiempo consiste en que se reconoce la libertad, que es lo propio del espíritu, el estar el espíritu dentro de sí consigo"[13].

- **Humanismo.** Si la Edad Media había estado caracterizada por su teocentrismo —Dios es el centro de todo—, la Modernidad supone un giro de ciento ochenta grados, dando lugar al antropocentrismo. El ser humano, autónomo e independiente, pasa a ser el centro de la realidad. El devenir de la historia ya no se entiende como el actuar de un Dios soberano que guía y controla su curso, sino que ahora son los hombres quienes controlan la naturaleza y el mundo gracias a sus progresos

---

[13] HABERMAS, J., *El discurso filosófico de la modernidad,* Madrid 2008, 27.

científicos, de modo que son capaces de determinar la historia de la humanidad[14].

- **Confianza en el saber científico.** Las visiones medievales del mundo rápidamente cambiaron con el avance de los nuevos conocimientos físicos, astronómicos, químicos, biológicos, etcétera, que dieron lugar a la revolución científica en Europa. En la Edad Media, la Teología era considera «la reina de las ciencias» y todos los demás saberes y disciplinas debían supeditarse al saber teológico[15]. Ejemplo de ello fue el caso de Galileo en la primera mitad del siglo XVII. Empero, en la modernidad la Teología dejará de ser la ciencia reina y la sociedad apostará ilusionada por el saber científico. La fe en la ciencia hizo pensar a la sociedad moderna que lo sobrenatural y metafísico era simplemente aquello a lo que todavía no se le había encontrado una explicación científica y que no había ninguna verdad más allá de la ciencia. Teófilo Rodríguez Neira señala cómo la Ilustración apostó por una racionalidad científica como forma primordial, elevando esta forma de racionalidad a paradigma y modelo, asumiendo un papel hegemónico frente a otras formas de racionalidad[16].

---

[14] Cf. ERICKSON, *Teología Sistemática*, 162-163.

[15] Cf. LARREA ABASOLO, M. A., *Filosofía de la ciencia: Nociones básicas de epistemología para la investigación científica*, Madrid 2018.

[16] RODRÍGUEZ NEIRA T., *Algunas formas de la racionalidad. El problema educativo. Teoría de la Educación. Revista Interuniversitaria* [Internet]. 12 Nov 2009 [citado 11 Jul 2019]. Disponible en: http://revistas.usal.es/index.php/1130-3743/article/view/2954

- **Naturalismo**. Fruto de esta insaciable fe en la ciencia, surge un interés creciente en el estudio de la naturaleza a través del método científico. Si Dios dejó de ser el centro de todo para dar paso al hombre (del teocentrismo al antropocentrismo), de manera análoga lo celestial y trascendental dará lugar a lo terrenal. Gradualmente, el método científico se irá imponiendo como el único y más excelente medio para investigar e interpretar la realidad. Millard Erickson señala una de las consecuencias prácticas de este naturalismo cuando afirma que «se ha ido incrementando la tendencia a restringir la realidad al universo observable y a entender incluso a los seres humanos a la luz de este sistema de naturaleza»[17].

- **Tendencia a la disociación de la realidad.** En la obra *La modernidad cuestionada*, se puntualiza que «el talento de la modernidad consiste en su habilidad para separar»[18]. Es cierto, pronto las dicotomías fe-razón; público-privado; secular-religioso; Iglesia-Estado, etcétera, se asumirían como verdaderas y necesarias en el pensamiento del hombre moderno. El dualismo epistemológico entre fe y razón se vio acrecentado por la filosofía de Immanuel Kant, quien presuponía que cualquier conocimiento teórico debía estar basado en una experiencia sensorial y en la estructura racional de la mente que interpreta los elementos en forma de «secuencia y causa»[19]. Puesto que no podemos aseverar

---

[17] ERICKSON, *Teología Sistemática*, 163.
[18] CAVANAUGH, W.-BERNABÉ UBIETA, C. (et al.), *La modernidad cuestionada: la corriente "Ortodoxia Radical" y su propuesta de una nueva "teología política"*, Bilbao 2010, 32.
[19] ERICKSON, *Teología Sistemática*, 162.

una objetiva experiencia sensorial con Dios, se concluye que Dios no puede ser nunca el objeto de la razón pura. En todo caso, habría espacio para Dios dentro de la razón práctica, pero solo como un objeto de fe racional y como un postulado indemostrable de dicha razón.

- **Confianza en el progreso de la humanidad.** Luis Gozález-Carvajal Santabárbara menciona como una de las notas más importantes de la modernidad la «Fe en el progreso»[20]. Hasta el siglo XVII la historia de la humanidad era interpretada en clave de decadencia, es decir, se consideraba que la humanidad había partido de una situación inicial de plenitud, pero que con el inexorable paso de tiempo tendía a la decadencia y al deterioro. Empero, esa visión se tornará en la modernidad a otra mucho más optimista, donde la sociedad irá floreciendo y avanzando hacia lo mejor. Esta confianza en el progreso de la humanidad podía verse claramente, por ejemplo, en Kant, quien consideraba a la Revolución Francesa el «signo de los tiempos» hacia un progreso moral, material y político[21].

- **Secularización**. Entendemos por esta el proceso a través del cual todo signo o contenido religioso pierde su sentido y relevancia en la sociedad, de modo que queda eliminada la base sobrenatural del mundo, y el mundo llega a ser la suma de todo lo real. Max Weber presentaría a la

---

[20] GONZALEZ CARVAJAL, Luis, *Ideas y creencias del hombre actual*, 3ª ed., Santander 1993, 111.
[21] Cf. SOLÍS OPAZO, J., *Mal de proyecto: precauciones para archivar el futuro: ensayos de teoría de la arquitectura,* Santiago de Chile 2016. Específicamente, el capítulo titulado: «El entusiasmo situacionista».

civilización en Occidente como inmersa en un continuo proceso de secularización y racionalización[22], fruto del desencantamiento del mundo.

- **Espíritu capitalista-burgués.** Para Karl Marx, la modernidad y el capitalismo estaban estrechamente unidos[23]. Para Weber, el «espíritu del capitalismo» moderno —de Europa occidental y de América— consiste en la filosofía del avaro. Su aspiración es ganar no solo para cubrir sus necesidades, sino más allá de ellas, acumular todo cuanto sea posible. El *summum bonum* de esta ética radica en conseguir más y más dinero. Según su tesis, la ética puritana favoreció el desarrollo de este capitalismo[24].

3. Crisis de la modernidad

Paradójicamente, aquella sociedad que hizo de la razón su nuevo tótem, no pudo dejar realmente de lado la fe, pues esta se requería para mantener vivas las esperanzas del hombre moderno en el progreso, la libertad, la independencia, la igualdad y demás utópicas aspiraciones. Pero esta fe inquebrantable del hombre moderno se fue convirtiendo progresivamente en desencanto, frustración e insatisfacción, al no conseguir lo que se proponía. La modernidad entró en crisis.

---

[22] Cf. WEBER, M.- WINCKELMANN, J, (et al.), *Economía y sociedad: esbozo de sociología comprensiva,* Madrid 2002.
[23] Cf. RODRÍGUEZ MARTÍNEZ, J., *En el centenario de la ética protestante y el espíritu del capitalismo*, Madrid 2005, 101-104.
[24] Cf. WEBER, M.-LEGAZ LACAMBRA, L., *La ética protestante y el espíritu del capitalismo,* Barcelona 2008.

Varios fueron los eventos históricos que propiciaron aquella posterior mutación sociológica, entre los cuales citamos los más importantes:

- La Primera Guerra Mundial (1914-1919). Con ella, millones de seres humanos murieron. Los adelantos tecnológicos con los que las sociedades modernas aspiraban a mejorar el mundo, se usaron para hacer armas más mortíferas y letales[25].

- La Gran Depresión de 1929. Esta ha sido hasta hoy la crisis económica más larga en el tiempo, así como la de mayor calado y la que ha alcanzado a un número de países superior al de cualquier otra crisis económica. José Luis Acero Colmenares, analizando la crisis financiera del siglo XIX y sus terribles consecuencias señala:

> Los precios de las acciones cayeron vertiginosamente. Este hecho dejó sin respaldo para el pago de sus deudas a un gran número de personas, al tiempo que los mismos retiraban su dinero de los bancos, industria que entró en una crisis prolongada a lo largo de los años treinta. En este periodo, se cerraron, fusionaron o desaparecieron más del 40% de los bancos de la época en toda la nación americana, incluidos varios bancos de inversión[26].

---

[25] Sobre este tema, recomendamos la lectura de: JOAS, H., *Guerra y modernidad: estudios sobre la historia de la violencia en el siglo XX*, Barcelona 2005.

[26] ACERO COLMENARES, J. L., *Banca de inversión en la posmodernidad*, Bogotá 2018. Puede leerse en: https://books.google.es/books?id=zS1TDwAAQBAJ&pg=PT16&dq=Gran+Depresi%C3%B3n+Posmodernidad&hl=es&sa=X&ved=0ahUKEwiDpv-

Es un dato universalmente reconocido que durante la Crisis del 29 el número de suicidios y depresiones aumentó[27]. Paulatinamente, el hombre moderno perdía todas sus esperanzas.

- **La Segunda Guerra Mundial (1939-1945).** Fue, sin lugar a dudas, la hecatombe más terrible de toda la historia de la humanidad. Se estima que más de setenta millones de personas murieron en ella[28]. El fascismo en Italia, el nazismo en Alemania, los incontables campos de concentración, etcétera, convencieron al hombre moderno de que las esperanzas en un progreso histórico no eran más que una absurda ilusión. Diego Bermejo sostiene cabalmente que «con la Segunda Guerra Mundial terminaría la época moderna y se operaría una transformación social, debida a un nuevo cambio tecnológico…»[29].

- **Las dos bombas atómicas de Hiroshima y Nagasaki, en agosto de 1945.** Con la primera, sesenta y seis mil personas perdieron la vida y cerca de setenta mil quedaron heridas. Con la segunda, treinta y nueve mil personas fallecieron y veinticinco mil quedaron heridas[30]. Por

---

fs7LjAhUN3OAKHWDJC58Q6AEIMzAC#v=onepage&q=Gran%20Depresi%C3%B3n%20Posmodernidad&f=false

[27] Cf. LANCTÔT, G., *La evolución hacia la nueva especie*, Colmenar, Málaga 2012, 55-56.

[28] COMELLAS J. L., *Historia breve del mundo reciente (1945-2004)*, Madrid 2005, 15.

[29] BERMEJO, D., *Posmodernidad: pluralidad y transversalidad,* Barcelona 2005, 131.

[30] AA.VV., *Las bombas atómicas en Hiroshima y Nagasaki: Informe de los ingenieros del proyecto Manhattan*, Ediciones LAVP, Nueva York, EE.UU. 2019.

supuesto, todas estas guerras y bombas atómicas provocaron una crisis ecológica sin precedentes.

Los eventos anteriormente citados, sumados a los opresivos y abrumadores totalitarismos de izquierda y derecha, formaron un excelente caldo de cultivo para la gestación de una nueva mutación antropológica que, con el tiempo, sería comúnmente llamada «posmodernidad».

[https://books.google.es/books?id=jBSSDwAAQBAJ&pg=PT2&dq=Hiroshima+bomba+at%C3%B3mica&hl=es&sa=X&ved=0ahUKEwj42K-Rv7LjAhUJQRQKHQR6DggQ6AEILjAB#v=onepage&q=Hiroshima%20bomba%20at%C3%B3mica&f=false]

2
La cultura moderna

1. Transición de la modernidad a la posmodernidad

Es un hecho reconocido que «la transición de lo moderno a lo posmomderno no tiene lugar en todos los ámbitos a la misma velocidad»[31]. No obstante, la irrupción de la posmodernidad suele situarse a finales del siglo XX, más concretamente en la década de los sesenta[32].

Esta nueva mutación sociológica se caracteriza por «la pérdida paulatina de todo tipo de fe»[33]. Atrás quedaron las esperanzas que el hombre moderno había depositado en la razón, la ciencia, la tecnología, la libertad o el progreso. Todas estas utópicas esperanzas, lejos de conseguir la felicidad y la igualdad social, han cosechado cada vez más un mundo más infeliz, desigual e insatisfecho.

> Sociedad posmoderna significa en este sentido retracción del tiempo social e individual, al mismo

---

[31] EFLAND, A. D.-FREEDMAN, K.-STUHR, P., *La educación en el arte posmoderno,* Barcelona 2003, 20.
[32] BAUTISTA-VALLEJO, J. M., *Educar en la posmodernidad: Descubrir personas y orientar su desarrollo,* San José, Costa Rica 2006, 17-21.
[33] CRUZ, *Posmodernidad,* 48.

> tiempo, que se impone más que nunca la necesidad de prever y organizar el tiempo colectivo, agotamiento del impulso modernista hacia el futuro, desencanto y monotonía de lo nuevo, cansancio de una sociedad que consiguió neutralizar en la apatía aquello en que se funda: el cambio. Los grandes ejes modernos, la revolución, las disciplinas, el laicismo, la vanguardia han sido abandonados a fuerza de personalización hedonista; murió el optimismo tecnológico y científico al ir acompañados los innumerables descubrimientos por el sobrearmamento de los bloques, la degradación del medio ambiente, el abandono acrecentado de los individuos; ya ninguna ideología política es capaz de entusiasmar a las masas, la sociedad posmoderna no tiene ni ídolo ni tabú, ni tan sólo imagen gloriosa de sí misma, ningún proyecto histórico movilizador, estamos ya regidos por el vacío, un vacío que no comporta, sin embargo, ni tragedia ni apocalipsis[34].

Esta nueva realidad de desencanto es la que favorece la transición de la Modernidad a la Posmodernidad.

2. Definición de posmodernidad

El vocablo «posmoderno» entró en el marco filosófico gracias Jean-François Lyotard, a partir de su conocida publicación: *La condición posmoderna* (1979). La definición de este término no es una empresa fácil. El término es muy amplio y abarca un holgado abanico de cambios de paradigma a nivel artístico, social, económico, cultural, filosófico o literario.

---

[34] LIPOVETSKY, *La era del vacío*, 9-10.

Como el propio nombre indica, la Posmodernidad se define en referencia a la época que le precede, por lo que, curiosamente, no se trata de un nombre sustantivo, sino adjetivo, ya que hace referencia a la modernidad póstuma. La Posmodernidad es la respuesta al fracaso de la Modernidad y de sus ilusorios proyectos. Es una reacción cuasi pendular contra los desencantos provocados por las utópicas pretensiones del hombre moderno. Con todo, no existe una definición única de lo que este término involucra. De hecho, algunos autores reconocen que el término «posmodernidad» comprende posturas y significados discordantes[35].

Para Habermas, la posmodernidad es en realidad antimodernidad. Este autor aboga por la recuperación de los antiguos ideales y valores de la modernidad que, en su opinión, no se encuentran agotados y representan un proyecto inconcluso, distanciándose así de Lyotard, Lipovetsky o Vattimo[36]. Lyotard, en cambio, define la posmodernidad como la incredulidad hacia los metarrelatos propios de la modernidad[37]. Vattimo define a la sociedad posmoderna como la sociedad del pensamiento débil —rescatando las antiguas ideas neoheideggerianas y neonietzscheanas. Sostiene, a diferencia de Habermas, que la modernidad sí ha finalizado y su proyecto ha concluido. Y esta nueva etapa histórica en la que nos encontramos, a saber, la

---

[35] BERMEJO, *Posmodernidad*, 125-127.

[36] HABERMAS, J.-JAMESON, F.(et al.), *La posmodernidad,* Barcelona 2008, 19-36.

[37] LYOTARD, J. F., *La condición posmoderna: Informe sobre el saber*, Madrid 1987.

posmodernidad, se caracteriza principalmente por la comunicación.

> Hoy día se habla mucho de posmodernidad; más aún se habla tanto de ella que ha venido a ser casi obligatorio guardar una distancia frente a este concepto, considerarlo una moda pasajera, declararlo una vez más concepto «superado»... Con todo, yo sostengo que el término posmoderno sigue teniendo un sentido, y que este sentido está ligado al hecho de que la sociedad en que vivimos es una sociedad de la comunicación generalizada, la sociedad de los medios de comunicación (*«mass media»*)[38].

Vattimo considera que los medios de comunicación son la causa principal de que en nuestro tiempo se hayan disuelto los grandes relatos o metarrelatos a los que Lyotard hacía referencia.

Sintetizando el pensamiento de diversos autores, definiremos la posmodernidad como la reacción de desilusión de la sociedad a la crisis de la Modernidad, lo que ha dado lugar, en palabras de Bauman[39], a una sociedad líquida que no conserva su forma, que está en continuo cambio, transitoriedad y movimiento, que es escurridiza y difícil de enfrentar, y que presenta una serie de rasgos propios que la diferencian de la Modernidad.

Veremos a continuación algunas de las principales características de esta nueva sociedad posmoderna.

---

[38] VATTIMO, G.(et al.), *En torno a la posmodernidad,* Barcelona 2003, 9.
[39] BAUMAN, Z., *Modernidad líquida*, Argentina 2004, 7-20.

3. Características de la posmodernidad

Theo Donner, citando a su vez al escritor colombiano Cruz Kronfly, explica que la posmodernidad se caracteriza por su tendencia al consumismo, al nihilismo y al hedonismo[40]. Características con las cuales coinciden casi todos los estudiosos de esta sociedad posmoderna[41].

a. Consumismo

Algunos han denominado esta característica la «religión del consumo»[42]. La sociedad posmoderna trata de distraerse y de alienarse de la realidad que le rodea a través de la búsqueda del placer instantáneo que le produce el amplio abanico de posibilidades que puede consumir en cualquier ámbito de la vida. A este respecto, Antonio Cruz señala:

> En esta sociedad del bienestar y del consumo la acción de comprar, tener, exhibir y disfrutar se ha transformado en la principal finalidad de la vida. El afán consumista se ha sacralizado, se ha convertido en la religión cuyo dios, el dinero, exige la totalidad de la persona: su trabajo, esfuerzo y sacrificio constante[43].

Esto ha fomentado una sociedad materialista, que entiende que una vida plena requiere de una vida colmada de elementos materiales. La identidad del individuo ya no

---

[40] DONNER, T., *Posmodernidad y fe: Una cosmovisión cristiana para un mundo fragmentado*, Barcelona 2012, Edición Kindle.
[41] Entre ellos Lyotard, Vattimo, Lipovetsky, Habermas, etcétera.
[42] CRUZ, *Posmodernidad*, 65.
[43] CRUZ, *Posmodernidad*, 166.

se establece en base a los parámetros antropológicos tradicionales, sino a través del consumo[44].

b. Capitalismo agonizante

Al hablar de las características de la modernidad recordábamos que, para Karl Marx, la modernidad y el capitalismo estaban estrechamente unidos[45]. Max Weber, en su obra *La ética protestante y el espíritu del capitalismo*, concluía que la filosofía del avaro es el modelo que debe perseguir el hombre que desee ser honorable según la cosmovisión capitalista. Su aspiración es ganar no solo para cubrir sus necesidades, sino más allá de ellas, acumular todo cuanto sea posible. En este modelo capitalista —propio de Europa occidental y de América—, se reconocen ciertos valores. Sin embargo, son unos valores desvirtuados, pues solo interesan si son productivos. Se les da un significado completamente utilitarista, por lo que es suficiente con aparentar dichos valores, si con ello conseguimos los mismos resultados. Como reconoce Webber, el *summum bonum* de esta ética radica en conseguir más y más dinero.

Desgraciadamente, en la posmodernidad, tal realidad no ha variado mucho. El doctor en teología y en filosofía, Bernardo Pérez Andreo, señala que la mayoría de obras que intentan analizar e identificar esta sociedad "pos-posmoderna" fallan al identificar su núcleo esencial, que

---

[44] Sobre el consumismo en la sociedad posmoderna recomendamos la obra de: BAUMAN, Z., *La globalización: Consecuencias humanas,* México 2007.

[45] Cf. RODRÍGUEZ MARTÍNEZ, J., *En el centenario de la ética protestante y el espíritu del capitalismo*, Madrid 2005, 101-104.

para él no es otro que el capitalismo agonizante[46]. «El 1% de la población mundial, apenas 700.000 personas, poseen, acaparan o controlan el 90% de toda la riqueza que se genera»[47]. Y concluye que «si no cambiamos esto, así seguirá siendo hasta que el mundo reviente de injusticia»[48].

c. Nihilismo

La sociedad posmoderna ha dado muerte a Dios —en términos nietzscheanos—, a la verdad absoluta y ha fomentado la desvalorización de los valores supremos[49]. De aquel pensamiento fuerte propio de la Modernidad se pasa al pensamiento débil característico de la Posmodernidad. El único valor absoluto es ahora el individuo mismo, el yo. Donner define este nihilismo como la desaparición del otro, explicándolo en estos términos: «En la epistemología ha desaparecido la realidad objetiva, aquello otro que se puede estudiar y analizar. En lo social desaparece el otro que es fundamentalmente diferente a mí. En lo religioso ha desaparecido el absolutamente Otro, Dios»[50]. Lipovetsky llamará a esta característica el «neo-nihilismo»[51], que ha conllevado el empobrecimiento espiritual de la sociedad.

---

[46] PEREZ ANDREO, B., *La sociedad del escándalo*, Bilbao 2016.
[47] PÉREZ ANDREO, *La sociedad del escándalo,* 23.
[48] PÉREZ ANDREO, *La sociedad del escándalo,* 23.
[49] VATTIMO, G., *El fin de la modernidad: nihilismo y hermenéutica en la cultura posmoderna,* Barcelona 1997, 24.
[50] DONNER, *Posmodernidad y fe*, Edición Kindle.
[51] LIPOVETSKY, *La era del vacío*, 137.

d. Hedonismo

El hedonismo es la búsqueda del placer como fin último y fundamento de la existencia humana. En *La era del vacío*, de Lipovetsky, el hedonismo es presentando también como uno de los distintivos fundamentales de esta nueva sociedad, ya que «el individualismo hedonista y personalizado se ha vuelto legítimo y ya no encuentra oposición»[52]. La Posmodernidad ha traído consigo una nueva ética marcadamente hedonista. Se huye de todo aquello que implica sacrificio, esfuerzo o compromiso y se busca la satisfacción inmediata de nuestras necesidades y deseos personales.

Mencionaremos a continuación algunos otros síntomas que caracterizan nuestro tiempo posmoderno:

e. Muerte a los ideales

Las ideas ya no son estáticas. A diferencia del hombre moderno, que se aferraba a unas convicciones e ideales por las cuales estaba dispuesto a luchar, el hombre posmoderno parece no aferrarse a nada. Algunos escritores citan al cantautor y poeta jienense, Joaquín Sabina, en su canción *Cómo decirte, cómo contarte* (1986), como ejemplo preciso de lo que representa a la sociedad posmoderna. Sus versos dicen lo siguiente: «Cada noche un rollo nuevo. Ayer el yoga, el tarot, la meditación. Hoy el alcohol y la droga. Mañana el aerobic y la reencarnación»[53]. Esto encaja perfectamente con la

---

[52] LIPOVETSKY, *La era del vacío*, 9.
[53] CRUZ, *Posmodernidad*, 53.

descripción que Bauman hace de nuestra sociedad, al llamarla «modernidad líquida»[54], caracterizada por su fluidez, pues se encuentra en un continuo cambio, como si el devenir produjera placer en sí mismo.

f. Muerte de la verdad absoluta y auge del relativismo

Nuestra cultura actual, influenciada por los valores y preceptos de la posmodernidad y de la modernidad líquida, niega la verdad absoluta, sustituyéndola por múltiples verdades relativas, válidas y diferentes para cada individuo. Hablar de verdad absoluta suena hoy muy intolerante. Para el hombre de hoy, hablando en términos generales, no hay una única verdad o realidad, sino que la percepción subjetiva de cada individuo se acepta como verdad para uno mismo, tan válida como las percepciones que tengan otros individuos, por muy distintas o contradictorias que sean entre sí. La verdad es entendida ahora como una percepción personal y subjetiva. De modo que se tiende a desconfiar de aquellos discursos en los que se pretende haber encontrado una verdad universal. Donner afirma: «Otro relativismo, que es más común hoy en día, es el relativismo individualista. Cada uno maneja sus propias convicciones. No tiene sentido procurar persuadir a otro de que está equivocado, incluso sería una intolerancia manifiesta»[55].

Este auge del relativismo repercute, por supuesto, en todos los ámbitos de la vida humana, incluida, por

---

[54] BAUMAN, *Modernidad líquida*, 7-20.
[55] DONNER, *Posmodernidad y fe*, Edición Kindle.

ejemplo, la moral. Ya no hay valores absolutos y lo único que importa es la satisfacción de mis propios deseos o necesidades del presente[56]. A efectos prácticos, esta realidad nos recuerda mucho al periodo bíblico de los jueces, donde cada uno hacía, lo que bien le parecía[57].

g. Fin de las metanarrativas

El relativismo del que acabamos de hablar supone también un rechazo o escepticismo hacia la metanarrativa —aquellos grandes relatos que buscan dar explicaciones de la realidad—, lo que incluye las explicaciones cristianas sobre el origen del mal, la génesis de la humanidad, etcétera. A este respecto, John Wesley Taylor señala:

> La posmodernidad rechaza las metanarrativas porque son vistas como excesivas y demasiado explicativas. También sostiene que la metanarrativa promueve la exclusividad, y puede conllevar a la violencia. Fue, de hecho, la creencia en una metanarrativa lo que acarreó la tragedia de las Cruzadas y lo que inicia el extremismo de "al Qaeda" y del genocidio entre hutus y tutsis en Ruanda[58].

El resultado inevitable del rechazo a las metanarrativas es que ya no existirá una explicación única y universal de la realidad, sino que cada individuo debe construir su propia realidad de manera independiente.

---

[56] Cf. DONNER, *Posmodernidad y fe*, Edición Kindle.
[57] Cf. Jueces 17, 6.
[58] WESLEY, J. T., *Posmodernidad y educación cristiana: Desafíos ideológicos contemporáneos, Enfoques* XXIV, 2, Tennessee 2012, 90.

Esto da lugar al pluralismo. Ya no hay una única verdad o realidad, sino que la percepción de cada uno es su verdad y su verdad es igual de válida que la de los demás.

Las consecuencias para las universidades y las instituciones educativas son obvias, «las universidades, entonces, deberán llegar a ser "multiversidades" —promoviendo una diversidad de agendas— y enfoques, en vez de buscar formular una sola interpretación "aprobada" de la realidad»[59].

h. Apuesta por la diversidad y el pluralismo

Lo anterior, junto con el rechazo de la hegemonía de la razón, ha llevado a que nuestra sociedad posmoderna celebre la diversidad. Ante la pluralidad de realidades y de realidades tan diversas, la educación debe ser inclusiva, en el sentido de ser tolerante con la heterogeneidad de conocimientos. Es cierto que, en la Modernidad, con la hegemonía del racionalismo, muchos sectores de la sociedad fueron silenciados y excluidos —entre ellos los religiosos—, porque se consideraban irracionales. La situación ha cambiado radicalmente, pues ahora deben visibilizarse y hacerse oír aquellos grupos ignorados u oprimidos —situación que debe aprovechar el cristianismo—. El sistema educativo actual, si quiere ser útil para el hombre posmoderno, debe abrirse a conocimientos divergentes y al reconocimiento de conocimientos no-racionales, como por ejemplo la emoción o la espiritualidad. De esto modo, las minorías deben tener un espacio en el sistema educativo que les

---

[59] WESLEY, *Posmodernidad y educación cristiana,* 91.

permita ser escuchadas y poder presentar sus perspectivas particulares. El hombre posmoderno necesita encontrar su camino y realidad particular en la diversidad, por lo que se hace necesario abrir un abanico de posibilidades que contribuyan a que el individuo forje su destino personal.

i. Individualismo

Ya no se busca, como en la Modernidad, el progreso colectivo, sino que lo único que importa es el progreso individual. Lipovetsky argumentará que la sociedad posmoderna, caracterizada por la convivencia natural de las antinomias, fortalecerá el individualismo narcisista. La destrucción de los valores superiores y de los sentidos únicos de la modernidad abre la puerta a múltiples y diversas posibilidades de elección, que fortalecen el deseo de emancipación y realización del individuo[60]. Juan Martín Velasco considera que el individualismo posmoderno se caracteriza por ser hedonista y narcisista, por una mayor extensión a la vida cotidiana, y por la emancipación o liberación de toda norma, disciplina o sistema ideológico que pueda coercer la voluntad del individuo[61].

Especialmente relevante nos parece el comentario del católico José Silvio Botero, en referencia a este neo-individualismo:

> Antes se trataba de un individualismo que se esforzaba por salvar la propia autonomía frente a la invasión del

[60] LIPOVETSKY, *La era del vacío*, 11-12.
[61] Cf. MARTÍN VELASCO, J., *Ser cristiano en una cultura posmoderna*, México 1996, 92.

Estado; hoy, en cambio, el hombre aparece escindido entre el deseo de realizarse autónomamente y la falta de posibilidades para salvar su posición social. Este individualismo es sinónimo de 'privacidad' que provocará posteriormente el 'pensamiento débil'. Esta orientación individualista conlleva otros elementos no menos preocupantes: obsesión por lo material, centrado en el 'presente' que equivale al inmediatismo, sentido de pertenencia muy débil, abandono del espacio público[62].

j. Pérdida de la fe en el progreso histórico

Bauman reconoce que ya no hay lugar para esta idea de progreso histórico típica de la modernidad[63]. El pasado y el futuro pierden su valor. Lo que importa es el presente; el ahora. La esperanza en el progreso de la humanidad se convierte en un falso y viejo mito que debe ser desenmascarado[64]. La idea de progreso era una de los grandes metarrelatos de la modernidad, que concordaba con la visión lineal y evolutiva que se tenía del tiempo y de la historia. La posmodernidad ya no aceptará esta idea, sino que entenderá que la historia es mucho más compleja, llena de fluctuaciones, inestabilidades y rupturas, sin un metarrelato que la guíe.

---

[62] BOTERO GIRALDO, J. S., *Posmodernidad y juventud: Riesgos y perspectivas,* Bogotá 2002, 238.
[63] BAUMAN, Z., *Vida de consumo,* trad. M. Rosenberg y J. Arrambide, Madrid 2016, 53-54.
[64] Cf. BAUTISTA-VALLEJO, *Educar en la posmodernidad*, 19-20.

k. Deconstrucción del lenguaje

La posmodernidad trae consigo la deconstrucción del lenguaje o el oscurecimiento de la verdadera significación de las palabras. Tal particularidad ha sido aprovechada por ciertos lobbies con el fin de servir a ideologías concretas de nuestro tiempo. Términos como «verdad», «tolerancia», «fobia», etcétera, han sido sin lugar a dudas reinterpretados.

> El "amor" se interpreta como un mero sentimiento; la "verdad" como percepción personal y subjetiva; los "intolerantes" son ahora las personas de convicciones que creen en la verdad absoluta; el "feminismo" que en sus orígenes buscaba la igualdad de derechos entre hombres y mujeres, hoy se ha convertido en un movimiento victimista y opresor; la "masculinidad" y la "feminidad" pierden sus características diferenciadas y se entremezclan; la "homofobia" es interpretada como el simple desacuerdo —aún respetuoso— a la práctica homosexual; la sexualidad…[65]

l. Cambio socioeducativo

A nivel socioeducativo, la posmodernidad también tiene unas características particulares que la diferencian de la Modernidad. En la Modernidad, el sistema educativo se articulará basado en la razón como la clave o herramienta

---

[65] ESPINOSA CONTRERAS, J. D. (2018), *¿Qué será de la iglesia cristiana en Occidente en 20-30 años?*, Protestante Digital. Puede consultarse en: http://protestantedigital.com/magacin/44241/Que_sera_de_la_iglesia_cristiana_en_Occidente_dentro_de_20_o_30_anos

con la que la que alcanzar la verdad absoluta. Así, la razón delimitará los objetivos y los contenidos de la educación, que deben ser transmitidos a los alumnos. Durante esta etapa, los alumnos son simples receptores de una información, de un conocimiento de debe ser recibido, repetido y aprehendido, aun cuando este carezca de utilidad práctica para la vida diaria o, al menos, para el momento presente. A este respecto, Ruíz Román, citando a Pérez Gómez, señala acertadamente:

> Así pues, la característica más definitoria de la modernidad es, sin duda, la apuesta decidida por el imperio de la razón como el instrumento privilegiado en manos del ser humano que le permite ordenar la actividad científica y técnica, el gobierno de las personas, y la administración de las cosas, sin el recurso a fuerzas y poderes externos o sobrenaturales[66].

El sistema educativo de la Modernidad seguía un proceso estandarizado y lineal, en el que se enseñaba solo lo que se consideraba útil para la economía industrial. Empero, en la Posmodernidad, este modelo tradicional ha pasado de moda y se está volviendo inservible.

Alicia de Alba nos recuerda en su obra, *Posmodernidad y educación*, que «la posmodernidad y lo posmoderno están afectando a la cultura occidental en sus puntos más sensibles, dentro de los cuales se encuentra el del conocimiento»[67]. Y es que, sin duda, la

[66] RUÍZ ROMÁN, C., *Revista Complutense de Educación, Vol. 21, Núm. 1,* 2010, p. 174. Puede consultarse en: http://revistas.ucm.es/index.php/RCED/article/view/RCED1010120173A/15238

[67] DE ALBA, A., *Posmodernidad y educación,* México, 2004, p. 129.

posmodernidad está afectando a la forma de pensar de la sociedad actual y a la producción de conocimientos, ya sea en la esfera de las ciencias humanas y sociales, ya en la educación en particular.

En la Posmodernidad, la razón se relativiza como consecuencia del desencanto con las utopías frustradas de la Modernidad. La sociedad comienza a tomar una actitud nihilista, lo que irremediablemente repercute en la educación.

En la actualidad, sufrimos acelerados cambios socioculturales provocados, entre otras razones, por el impacto de las tecnologías digitales. En palabras de Bauman, vivimos la modernidad líquida, la cual exige nuevos modelos educativos que nos ayuden a definir una nueva identidad mucho más digital[68].

m. Secularismo

Otro de los retos que ha supuesto la posmodernidad en la educación es que nuestra cultura ha perseguido una educación laica, diversa y plural, huyendo de todo tipo de dogmatismos, ya sean científicos o religiosos. El resultado, en muchos casos, ha sido el deterioro de la cultura, que ha engendrado una sociedad más superficial y bohemia. Esto no significa que la sociedad actual sea antirreligiosa, pues, como algunos sociólogos reconocen, sigue creciendo en nuestro tiempo la «religión invisible»[69]. Con todo, el creciente secularismo ha

---

[68] Cf. BAUMAN, Z., *Los retos de la educación en la modernidad líquida*, Barcelona, 2007.

[69] OVIEDO TORRÓ, L., *La fe cristiana ante los nuevos desafíos sociales: Tensiones y respuestas*, Madrid, 2002, p. 99.

relegado a un segundo plano la religión en el sistema educativo.

3
Retos de la filosofía posmoderna para la fe cristiana

La sociedad y la filosofía posmoderna suponen un nuevo reto para la fe cristiana en el mundo occidental, por lo que es indispensable que la Iglesia sepa afrontar con madurez y sabiduría esta nueva etapa histórica. Esta responsabilidad solo podrá llevarse a cabo si la fe cristiana se mantiene constantemente abierta al diálogo con la cultura, pero tal diálogo desde la fe no puede ser dogmatizante —en el sentido peyorativo de este vocablo—, pues la sociedad posmoderna ya está cansada de cualquier tipo de totalitarismo e imposición.

Por otro lado, cabe destacar que no todos los retos que supone la posmodernidad son negativos para la fe, sino que, muy al contrario, algunos pueden y deben ser aprovechados por la fe cristiana. A este respecto, aseveramos que hay un tipo de posmodernismo que es necesario y providencial. El Dios cristiano es el Dios de la historia, quien no cesa de trabajar y llevar a cabo su obra en cada tiempo, siendo en este sentido la Modernidad y la Posmodernidad parte del plan divino. No significa que todo lo que contienen ambos periodos haya sido determinado por Dios, sino que la huella divina puede rastrearse en ambos periodos. Conviene recordar aquí que Dios es Señor de los tiempos y de las culturas. Así que debemos aprender a ver la obra del Espíritu en cada tiempo y en cada cultura, incluida la nuestra.

Reflexionamos a continuación sobre algunos de los retos que supone la posmodernidad para la fe cristiana:

Consumismo. El consumismo posmoderno ha engendrado una sociedad materialista que, por regla general, ha relegado a un segundo plano las necesidades espirituales inherentes al ser humano. Se ha cometido el craso error de asumir que la satisfacción de las necesidades más profundas del alma humana se encuentra en lo material. En realidad, esto solo está produciendo una sociedad cada vez más insatisfecha.

Esta realidad, que no es ni mucho menos nueva, nos evoca aquel encuentro de Jesucristo con el joven rico (Mc 10,17-31), quien a pesar de tener todo lo que demanda nuestra actual sociedad materialista posmoderna —salud, bienes materiales y fama o reconocimiento social—, no encontraba la paz espiritual y seguía angustiado por la situación de su alma.

El salmista nos recuerda que, en el fondo de toda alma humana, hay una voz que confiesa: «Mi ser tiene sed de Dios, del Dios vivo…» (Sal 42, 3). La necesidad humana de una sana espiritualidad es inextinguible. Por tanto, coincidimos plenamente con el sentir del teólogo y pastor protestante José María Martínez, cuando asevera:

> Si el hombre, hecho para remontarse a las alturas trascendentes del espíritu en alas de sus más nobles facultades, deja que éstas se atrofien, seducido por ídolos materiales, se degrada a sí mismo. Y si repudia a Dios endiosando su propia personalidad, no sólo no llega a ser un "superhombre", sino que deja de ser hombre completo y se disminuye convirtiéndose en "sub-hombre"[70].

Por otro lado, el consumismo también está ejerciendo su influencia en los feligreses y creyentes de a pie, que ven la Iglesia como *un lugar al que se va para recibir*, y no tanto como *una comunidad a la que se pertenece para servir y edificar a otros*.

La primera consecuencia del consumismo es que las facultades espirituales del hombre se atrofian en virtud de la idolatrización de lo material. La segunda es que la Iglesia —los creyentes— dejan de sentirse una parte activa y fundamental en la edificación del cuerpo de Cristo (cf. 1 Co 12).

Capitalismo agonizante. En muchos sentidos, el capitalismo es una estructura que promueve la "esclavitud", el utilitarismo, la diferenciación de clases sociales; que los ricos sean cada vez más ricos y los pobres cada vez más pobres. Y cuando como cristianos prestamos nuestro apoyo a tal estructura o no levantamos nuestra voz por los que no tienen voz estamos yendo en contra del espíritu del cristianismo. Y es que esta es una

---

[70] MARTÍNEZ, J. M., *Introducción a la espiritualidad cristiana,* Terrassa 1997, 28.

estructura imperialista, pero no lo es menos que el socialismo, que también busca imponer su imperio. A este respecto, el reto del cristiano es comprometerse con el mundo y con la sociedad de la que es parte aportando una reacción profética y una la crítica social. «Habla por el que no puede hablar y defiende la causa de los desvalidos» (Pr 31, 8).

Nihilismo. Hemos aludido anteriormente al encuentro de Jesús con el joven rico, porque creemos que este representa muchas cualidades de nuestra actual sociedad posmoderna. Empero, existe una notable diferencia. Aquel joven rico reconocía que, a pesar de poseer enormes bienes materiales, su alma seguía angustiada e insatisfecha. En cambio, el nihilismo de nuestra sociedad se manifiesta en la muerte de toda angustia o en la convivencia pacífica con ella. El joven rico posmoderno ya no se siente en la necesidad de ir a Jesucristo, pues o bien no percibe su gran vacío espiritual, o bien ha aprendido a convivir con él.

> El nihilismo mata la fe. Destruye la confianza. Es como un virus que penetrara en las neuronas cerebrales desajustando el sistema inmunitario y provocando la impotencia para cualquier aventura reflexiva. Nihilista es el acostumbrado a practicar el gesto del encogimiento de hombros frente a las preguntas verdaderamente importantes. Es el "no sabe, no contesta" ante lo espiritual. El nihilismo como enfermedad anímica de la postmodernidad adelgaza los espíritus hasta que sobreviene la muerte de lo subjetivo. Lo singular de esta nueva forma de ateísmo

nihilista, que se da en la postmodernidad, estriba en que desconoce por completo cualquier sentimiento de tragedia[71].

Hedonismo. Los valores cristianos que implican compromiso, sacrificio, muerte del yo y de nuestros deseos personales por cumplir los deseos de Dios, carecen de valor en nuestra generación posmoderna. Hoy más que nunca se cumplen las palabras proféticas del apóstol Pablo, quien en referencia a los días postreros afirmó que los hombres serían «más amantes de los placeres que de Dios» (2 Ti 3, 4). Supone un verdadero reto para la fe cristiana la proclamación de un mensaje salvífico cuyos valores y exigencias son diametralmente opuestas a las del hedonismo posmoderno.

El cristiano tiene el desafío de exhibir y evidenciar al mundo la existencia de un hedonismo mejor, a saber, el «hedonismo cristiano»[72]. El problema del hedonismo posmoderno no es el hedonismo en sí, sino un hedonismo demasiado débil. Es muy humano anhelar el bien propio y buscar el placer personal. El problema estriba en que los anhelos posmodernos son demasiado débiles, es decir, nuestra sociedad se contenta y se conforma con demasiado poco. A diferencia del profeta veterotestamentario Moisés, el hombre posmoderno se conforma con «disfrutar el efímero goce del pecado» (He 11, 25-26), pues ha perdido de vista la recompensa que hay en Cristo. Sin embargo, las necesidades espirituales

---

[71] CRUZ, *Posmodernidad*, 111.

[72] Expresión acuñada por el teólogo y pastor evangélico, de tradición reformada, John Piper. Cf. PIPER, J., *Sed de Dios: Meditaciones de un hedonista cristiano,* Barcelona 2001.

del ser humano son infinitas, por lo que solo pueden ser llenadas por un Ser infinito; Dios. Es a esto a lo que se refería Pascal, en su obra *Pensamientos*, cuando escribió:

> Así pues, ¿qué nos grita esa avidez y esa impotencia, sino que hubo otrora en el hombre una verdadera dicha, de la cual sólo le queda ahora la señal y el rastro totalmente vacío, y que él trata inútilmente de llenar con todo lo que lo rodea, buscando en las cosas ausentes el auxilio que no consigue de las presentes, auxilio del cual son todas incapaces, porque el abismo infinito sólo puede ser llenado por un objeto infinito e inmutable, es decir por Dios mismo?
>
> Sólo Él es su verdadero bien; y, desde que él lo ha abandonado (extraña cosa), nada en la naturaleza ha sido capaz de reemplazarlo: astros, cielo, tierra, elementos, plantas, coles, puercos, animales, insectos, terneros, serpientes, fiebre, peste, guerra, hambre, vicios, adulterio, incesto. Y desde que ha perdido el verdadero bien, todo puede igualmente parecerle tal, hasta su propia destrucción, aunque tan contraria a Dios, a la razón y a la naturaleza al mismo tiempo[73].

En palabras de Piper: «La meta del hedonismo cristiano es encontrar más placer en el solo y único Dios, evitando así el pecado de codicia, que es idolatría (Colosenses 3:5)»[74]. Por ende, el reto del cristiano es elevar las cobardes pretensiones hedonistas de nuestra sociedad a

[73] PASCAL, B., *Pensamientos*, Buenos Aires 2001, núm. 425.
Puede leer la obra en:
https://elblogdewim.files.wordpress.com/2016/03/pensamientos-ii.pdf
[74] PIPER, J., *Sed de Dios: Meditaciones de un hedonista cristiano,* Barcelona 2001, 18.

otras mucho mayores, que solo encuentran verdadera satisfacción en la persona de Cristo.

Muerte de los ideales. La fluidez de pensamiento que caracteriza nuestra sociedad ha traído consigo la muerte de las convicciones. En cambio, la fe cristiana se fundamenta en fuertes convicciones (He 11, 1)[75], fruto de la revelación especial y de la fe que ha sido dada una vez y para siempre a los santos, por la cual estamos llamados a contender ardientemente (Jud 3). La Iglesia tiene el reto de preparar y capacitar a las futuras generaciones de cristianos, de modo que estas sepan presentar defensa de sus convicciones de fe (1 Pe 3, 15) al mundo, de modo que evitemos que sean «llevados a la deriva y zarandeados por cualquier viento de doctrina, a merced de la malicia humana y de la astucia que conduce al error» (Ef 4, 14). A este reto apuntaba el Concilio Vaticano II, cuando en su mensaje final a los jóvenes declaró:

> Finalmente, es a vosotros, jóvenes de uno y otro sexo del mundo entero, a quienes el Concilio quiere dirigir su último mensaje. Porque sois vosotros los que vais a recibir la antorcha de manos de vuestros mayores y a vivir en el mundo en el momento de las más gigantescas transformaciones de su historia. Sois vosotros los que, recogiendo lo mejor del ejemplo y de las enseñanzas de vuestros padres y de vuestros

[75] La Biblia Textual traduce este versículo de la siguiente forma: «Y la fe es la certeza de lo que se espera, la convicción de lo que no se ve».

> maestros vais a formar la sociedad de mañana; os salvaréis o pereceréis con ella[76].

Sin embargo, las convicciones cristianas han de transmitirse a través de un sano y humilde diálogo, o en palabras del apóstol Pedro, «con dulzura y respeto» (1 Pe 3, 16), de modo que la verdad no se imponga sino, únicamente, en virtud de su propio peso. Cuando los cristianos tratamos de imponer nuestras creencias y valores por el camino de la denuncia infundada, la imposición y el menosprecio, y no por medio del diálogo piadoso, la denuncia razonada y la búsqueda sincera de la verdad, actuamos de la misma manera que aquellos movimientos que tanto nos molestan por su intolerancia, intransigencia y atrevida imposición de ideologías.

Muerte de la verdad absoluta y auge del relativismo. Nuestra sociedad ha cambiado lo absoluto por lo relativo. Por tanto, todo mensaje que se presente como una verdad única o absoluta será rechazo y tildado de intolerante. «Aunque pueda acomodar la Nueva Era sin ningún problema, no acepta una religión que pretenda proclamar la verdad, y que declara ser el único camino de salvación»[77]. En este sentido, el reto del cristiano es ir contracorriente, no amoldándose al mundo presente (Ro 12, 2) y siendo fiel proclamador de la «palabra de la verdad» (2 Ti 2,15). Obviamente, como advertimos en el punto anterior, esta proclamación ha de ir acompañada de

---

[76] Puede leerse en línea en: http://www.vatican.va/gmg/documents/gmg-2002_ii-vat-council_message-youth_19651207_sp.html [Consultado: el 20 de noviembre de 2019].

[77] DONNER, *Posmodernidad y fe*, Edición Kindle.

una actitud coherente, de modo que hablemos la verdad en amor (Ef 4,15).

El cristiano actual se enfrenta a dos peligros polares. Por un lado, corre el riesgo de relativizar la verdad revelada de Dios, restándole autoridad. Por otro, corre el riesgo de caer en un ciego fundamentalismo, que dé lugar a actitudes totalitarias y dogmáticas. No nos haría mal meditar en las palabras del comentarista bíblico William Barclay, cuando dice:

> Es necesario recordar que la verdad siempre es mayor que la persona que la capta o proclama. No hay nadie que pueda aprehender toda la verdad. El fundamento de la tolerancia no es la perezosa aceptación de todo lo que sea. No es el sentimiento de que no podemos estar seguros de nada. El fundamento básico de la tolerancia es sencillamente el reconocimiento de la magnitud del orbe de la verdad[78].

Fin de las metanarrativas. Las metanarrativas de la modernidad ayudaban al hombre moderno a interpretar la realidad y le permitían a este ser guiado por ellas. En cambio, la posmodernidad ya no acepta ningún gran relato que trate de unificar la realidad. En este sentido, el mensaje cristiano es ahora percibido como un relato opresor, que trata de imponer a la sociedad sus particulares conceptos, por el simple hecho de presentarse a sí mismo como verdad absoluta o como único mensaje salvífico.

---

[78] BARCLAY, W., *Comentario al Nuevo Testamento,* trad. A. Araujo, Viladecavalls (Barcelona) 2006, 233.

La cristiandad tiene el reto de seguir predicando las verdades del evangelio, pero siempre teniendo en cuenta las limitaciones de nuestra propia perspectiva. En esta misma línea afirmaba el teólogo Millard Erickson lo siguiente, en relación con el quehacer teológico:

> Esto sugiere que cierto grado de humildad es necesario en nuestra manera de realizar la teología. [...] También significa que se necesitan la globalización y el multiculturalismo. Es importante también que consultemos a personas de otros países, razas, culturas y sexos. Esto no quiere decir que lo que es verdadera teología para los americanos es distinto a lo que es verdadera teología para los cristianos africanos, o que la teología masculina sea diferente a la femenina. Quiere decir que uno de estos grupos puede ver con más claridad que los otros cierto aspecto de la verdad, simplemente gracias a su perspectiva. Es necesario tomar en cuenta todas estas perspectivas, como los testimonios de todos los hombres ciegos, para formular una teología que sea verdadera para todos los cristianos. Una teología evangélica posmoderna no se limitará a los escritos de los teólogos masculinos, blancos y occidentales[79].

Y es que el problema de fondo no está tanto en lo metarrelatos como tales o en la pérdida de vigencia de los mismos, sino en la autoridad que estos representan. La sociedad posmoderna desea liberarse o emanciparse de toda autoridad externa al individuo y esta es la razón por la que los grandes relatos ya no aglutinan a la sociedad.

---

[79] ERICKSON, *Teología Sistemática*, 173.

La predicación del *kerigma* debe ir siempre acompañada de una buena dosis de humildad y respeto por las diferentes perspectivas.

Apuesta por la diversidad y el pluralismo. Es interesante notar que la diversidad y el pluralismo ideológico, filosófico y religioso de nuestro tiempo nos asemeja a la realidad que vivieron los primeros cristianos. La primigenia fe cristiana tuvo que abrirse camino entre las múltiples y diversas manifestaciones religiosas del imperio romano y del mundo griego. A priori, esto no supone un problema en la sociedad posmoderna. El verdadero reto se encuentra en que el mensaje cristiano es, en cierto sentido, exclusivista, pues asevera que todos los seres humanos somos pecadores y que el único camino de salvación se encuentra en la persona de Jesucristo (cf. Hch 4,12). El cristiano, por regla general, no niega que puedan existir elementos de verdad en otras tradiciones religiosas, sino que estas sean auténticas vías de salvación. Es esta pretensión del mensaje cristiano lo que produce el rechazo en nuestra sociedad posmoderna.

Esta realidad ha llevado a algunos teólogos cristianos a suavizar el mensaje cristiano, proponiendo que la acción salvífica de Dios trasciende a Jesús[80]. Entre ellos estarían los *inclusivistas*, quienes proponen que otras tradiciones religiosas pueden ser vías de salvación para aquellos que creen en ellas, pero si se salvan lo harían por los méritos

---

[80] Recomendamos leer el artículo redactado por Michael Amaladoss, en el año 1989, sobre el pluralismo de las religiones y el significado de Cristo. Puede leerse en:
http://www.seleccionesdeteologia.net/selecciones/llib/vol30/119/119_amaladoss.pdf

de Jesucristo, aunque no sean conscientes de ello. Serían algo así como «cristianos anónimos» que pertenecen a la Iglesia sin saberlo. Por otro lado, estarían los *pluralistas*, quienes consideran que todas las religiones son vías de salvación igualmente válidas. Cristo sería el camino para los cristianos del mismo modo que Buda para los budistas. Su perspectiva ya no sería Cristocéntrica, sino teocéntrica. A decir verdad, no creo que este sea el camino que estamos llamados a seguir los cristianos. Recordemos que situaciones similares vivieron los profetas del Antiguo Testamento, quienes debieron confrontar la realidad del sincretismo religioso a la que el pueblo de Dios estaba expuesto.

Concuerdo con los pluralistas y exclusivistas en la necesidad a la apertura al diálogo interreligioso —pues el diálogo siempre es positivo— y el respeto al otro. Debemos reconocer que la historia de la salvación no puede reducirse a la tradición judeo-cristiana, pues Dios se ha relacionado con el hombre —y revelado— desde el principio de la creación y no solamente a partir de Abraham. Sin embargo, nunca debemos renunciar a las pretensiones exclusivistas del mensaje cristiano. Recordemos las palabras de Jesús, el rostro humano de Dios, cuando en su diálogo con la mujer samaritana expresó: «Vosotros adoráis lo que no conocéis; nosotros adoramos lo que conocemos, porque la salvación viene de los judíos» (Jn 4, 22). Jesús no reconoce ningún valor salvífico en otras «vías», como la de los samaritanos, de hecho, señala la adoración de los samaritanos como una adoración vacía, sin conocimiento verdadero («vosotros adoráis lo que no conocéis»). Además, si el pluralismo religioso debiera interpretarse como parte del plan salvífico de Dios y como otras posibles vías de salvación, ¿qué sentido tendría la urgencia evangelizadora que vemos en el Nuevo Testamento? ¿Por qué el apóstol Pablo arriesgaría su vida por alcanzar con el evangelio a los gentiles si también en las tradiciones religiosas de estos se pudiera alcanzar la salvación? ¿Cuál sería la necesidad de predicar el evangelio y cumplir así la Gran Comisión en la actualidad?

El rechazo del mundo a la predicación del evangelio es una consecuencia lógica a la que los cristianos debemos estar dispuestos a enfrentarnos (cf. Mt 10, 22; Jn 17,14; 2 Ti 3, 12; 1 Pe 2, 21; 4, 12-16).

Individualismo. Este individualismo, como señalamos previamente, es un individualismo egoísta y narcisista, que busca emanciparse autoridad externa, institución o normas coercitivas. Como veremos más adelante, al comentar los retos que supone el secularismo, la cristiandad, o más específicamente la religión cristiana institucional, es la gran afectada. Por supuesto, este individualismo también puede y debe ser aprovechado por el mensaje cristiano. Coincidimos aquí con Juan Martín Velasco, cuando escribe:

> De nuevo estamos en este terreno en una situación que exigirá a los creyentes asumir lo que la exigencia del individualismo tiene de valioso, incluso desde el punto de vista de la fe: pertenencia por elección personal y no por nacimiento; participación corresponsable en la pertenencia a la institución, personalización de la

asunción de las creencias y las normas y participación activa en el desarrollo de las prácticas rituales[81].

El reto se encuentra en que este individualismo no excluya la inexcusable dimensión comunitaria y eclesial de la fe cristiana, ni elimine el loable valor que las tradiciones tienen en una fe que es histórica.

Pérdida de la fe en el progreso histórico. La pérdida de la fe en el progreso histórico –típica de la modernidad– debe ser aprovechada por la fe cristiana ahora en la posmodernidad, pues pone en evidencia la incapacidad humana de alcanzar la paz, la felicidad o la libertad. Este desencanto favorece y avala la enseñanza judeo-cristiana de la Caída, que conlleva la inhabilitación del hombre de progresar aparte de Dios. La Iglesia tiene el reto de mostrar al mundo que las utopías de la modernidad son inalcanzables sin Dios y que el hombre únicamente puede alcanzar estas metas (libertad, felicidad, paz, etc.) mediante la sobrenatural intervención de la divinidad (cf. Jn 15, 5; 8, 31-32).

Deconstrucción del lenguaje. Ante la reinterpretación de los significados de ciertas palabras con el fin subalterno de servir a una ideología específica, favorecida por la globalización y la influencia de los medios de comunicación social, la Iglesia debe mantenerse firme, no reconociendo estos novedosos y engañosos usos, que a menudo se normalizan tras una larga y continua exposición a los mismos y que bien pudieran cohibir

[81] MARTÍN VELASCO, *Ser cristiano* ..., 93.

nuestras libertades de expresión o de pensamiento, o las de cualquier otro grupo social.

Cambio socioeducativo. En su libro, *Los retos de la educación en la modernidad líquida*, Zigmunt Bauman señala que el «síndrome de la impaciencia» es una de las características de nuestra sociedad contemporánea y una de las que más influye en la educación. Este síndrome considera intolerable la pérdida o el gasto de tiempo. Por eso, el consumismo que vivimos en la actualidad no está tan relacionado con la acumulación de cosas, como con el corto periodo de tiempo del que somos capaces de disfrutar de tales cosas. Y, desde esta perspectiva, la educación no sería más que un producto. La educación ya no se percibe como la adquisición de un conocimiento útil para toda la vida, sino como un conocimiento «de usar y tirar». El hombre posmoderno busca sentir, experimentar, y adquirir un saber práctico para el ahora. Esto, no debe verse a priori de forma negativa, pero cuando se absolutiza se convierte en uno de los mayores retos a superar.

Y es que, la educación, debe ser una acción permanente en la vida, que no busque únicamente el fomento de habilidades técnicas para determinados trabajos —como en la modernidad—, sino que propicie la formación de ciudadanos abiertos al diálogo, a un aprendizaje crítico e interactivo, a enriquecerse de la diversidad de perspectivas, a ejercer sus derechos democráticos y, en definitiva, que permita construir una sociedad capaz de controlar el futuro de su entorno. Además, puesto que el mundo y la cultura está en constante devenir, la educación —y también la educación cristiana— debe ser lo suficientemente rápida como para adaptarse a esta. En el siguiente capítulo aportaremos algunas sugerencias prácticas.

Secularismo. El secularismo en la posmodernidad no ha afectado a todas las formas religiosas de la misma manera. Entre las más desfavorecidas se encuentra la que Lluís Oviedo Torró denomina la «religión de iglesia», que es una referencia a la religión institucional[82]. Recordemos que la posmodernidad está marcada por la fluidez, el devenir y el continuo cambio, por lo que la religión institucional, anclada a pretéritas tradiciones y dogmas, encuentran cada vez menos cabida en nuestra sociedad. En cambio, lo que los sociólogos denominan la «religión invisible» sigue *in crescendo*.

Frente a la religión institucional, que está *decrescendo*, se sitúa la religión personal e individual —recordemos que una de las características de la posmodernidad es el individualismo—, que aboga por una religiosidad libre de imposiciones, tradiciones y de autoridades externas.

La Iglesia actual tiene el reto de fortalecer la forma eclesial de vivir la fe, sin menoscabo de la forma personal. Esto exige que la Iglesia, quien ha estado «más atenta a la gestión del poder, a la estabilidad y a la presencia social»[83], se enfoque de una manera más intencional en

---

[82] OVIEDO TORRÓ, *La fe cristiana ante los nuevos desafíos sociales*, 98.
[83] OVIEDO TORRÓ, *La fe cristiana ante los nuevos desafíos sociales*, 102.

las necesidades —materiales y espirituales— del individuo[84].

[84] Este aspecto es ampliamente desarrollado en: OVIEDO TORRÓ, *La fe cristiana ante los nuevos desafíos sociales*, 98-123.

4
Sugerencias prácticas para la evangelización de un mundo posmoderno

Teniendo en cuenta las características principales de la filosofía posmoderna y de los retos que esta supone para la fe cristiana, es inevitable preguntarnos: ¿Cómo podemos enfrentar los cristianos los retos que la sociedad posmoderna supone para nuestra fe y testimonio cristiano? No pretendemos haber encontrado la solución o soluciones a un problema tan complejo, pero procuraremos a continuación aportar una serie de sugerencias prácticas que favorezcan la eficacia de la evangelización de un mundo posmoderno.

Para evitar futuras confusiones, aclaramos aquí que, al hacer uso del término «Iglesia» en las siguientes propuestas prácticas, no queremos referirnos con ello única y exclusivamente a la Iglesia institucional, sino a todo el cuerpo místico de Cristo, los creyentes que forman la Iglesia.

1. La Iglesia debe dejarse "evangelizar"

La Iglesia no puede continuar más considerándose la única poseedora del monopolio de la verdad, sino que debe renunciar a la pretensión de saberlo todo. «En nuestro mundo, irreversiblemente plural, si las Iglesias quieren de verdad evangelizar, tienen, a su vez, que dejarse "evangelizar" por aquellos valores que, ínsitos en la creación, son hoy descubiertos por otros»[85].

Por ende, como cristianos, debemos abogar por una fe racional (que coopera con la razón y se interesa por el conocimiento de otras disciplinas científicas) y una razón estimulada por la fe, que reconoce sus propios límites y se eleva por encima de lo empírico para contemplar una realidad que la sobrepasa. La fe no debe temer a la razón, sino que, por el contrario, debe buscarla y confiar en ella. Y, a su vez, la razón debe ser iluminada por la fe, liberándola así de la fragilidad y las limitaciones derivadas del pecado. Solo entonces la razón será perfeccionada y encontrará la fuerza necesaria para elevarse hacia el conocimiento de una verdad que la trasciende, por cuanto va más allá de lo empírico.

2. La Iglesia debe defender la causa y los derechos de los afligidos

Desde la perspectiva de la fe cristiana es fácil reconocer algunos de los errores del capitalismo. La sed insaciable

---

[85] TORRES QUEIRUGA, A., *La razón teológica en diálogo con la cultura*, Iglesia Viva No. 192, 1997, 93-118.

de dinero hace que el factor económico se convierta en el "dios" de la sociedad capitalista. Y como dijo el apóstol Pablo a Timoteo: «Porque la raíz de todos los males es el afán de dinero» (1 Ti 6,10). La máxima de Jesús fue: «No os amontonéis tesoros en la tierra, donde hay polilla y herrumbre que corroen, y ladrones que socavan y roban. Amontonaos más bien tesoros en el cielo, donde no hay polilla ni herrumbre que corroan, ni ladrones que socaven y roben» (Mt 6,19-20).

Por otro lado, la diferenciación de clases sociales es contraria al espíritu del cristianismo (Gál 3,28), que constantemente nos insta a dar a los pobres (Mt 19,21; Lc 14,13. 21-22; Ro 15,26). El apóstol Pablo, lejos de buscar vivir acumulando riquezas expresó: «Sé andar escaso y sobrado. Estoy avezado a todo y en todo: a la saciedad y al hambre; a la abundancia y a la privación» (Fil 4,12).

Dicho todo lo anterior, aseveramos que el principal problema no se encuentra en el sistema político y económico —sea este capitalista o socialista—, sino en el corazón de los hombres, que a consecuencia del pecado siempre abusará del sistema —sea cual sea— en beneficio propio y en detrimento del otro. Las palabras de Jesús recogidas en el Evangelio de Mateo ilustran perfectamente esta idea: «Porque de dentro, del corazón de los hombres, salen los malos pensamientos, los adulterios, las fornicaciones, los homicidios, los hurtos, las avaricias, las maldades, el engaño, la lascivia, la envidia, la maledicencia, la soberbia, la insensatez. Todas estas maldades de dentro salen, y contaminan al hombre» (Mc 7,21-23).

Es menester reconocer que no todo es negativo dentro del sistema capitalista. Por ejemplo, el sistema capitalista requiere que cada persona sea responsable de su propia productividad, promoviendo la responsabilidad individual, el activismo frente a la pasividad. Y esto también es un principio bíblico: «Si alguno no quiere trabajar, que tampoco coma» (2 Ts 3,10). Jesús también nos llama a ser buenos administradores de lo que poseemos. De hecho, encontramos relatos que hablan acerca de la importancia de la inversión, como la parábola de los talentos en Mateo 25. No obstante, el espíritu que hay detrás de todos y cada uno de los principios del cristianismo con respecto a la mayordomía del dinero son diametralmente opuestos al espíritu del capitalismo.

En relación con todo lo anterior, comparto la llamada de atención que Hélder Camara hace a la Iglesia:

> Cristianos, hermanos míos, llevad cuidado. Guardaos de invocar el temor al comunismo como pretexto para evitar el cambio de las estructuras que mantienen a millones de hijos de Dios en una condición infrahumana. No es honrado decir que procurar alterar las estructuras es meterse de cabeza en el comunismo ateo.
>
> ¿Por qué nosotros, los que amamos la justicia y sabemos que sin ella no puede haber auténtica y duradera paz, no nos alzamos contra toda opresión y esclavitud, se derive ésta del este o del oeste, del comunismo o del capitalismo?[86]

---

[86] CAMARA, H., *Cristianismo, socialismo, capitalismo,* Salamanca, 1974, p. 43.

Ahora bien, a pesar de lo anteriormente comentado, no creo que el socialismo sea la respuesta. Y es que este sistema ignora la definición bíblica de la naturaleza humana —inclinada al pecado—, lo que a menudo lleva a que el poder se concentre o centralice en las manos de unos pocos codiciosos. Además, también es injusto que los perezosos y negligentes se beneficien por igual que aquellos que trabajan honradamente y con diligencia. La respuesta a este problema debe ir mas allá de cualquier sistema político y social.

Eso sí, algo podemos tener en claro. Dios siempre está del y al lado de los oprimidos. Dios intervino en la liberación de un pueblo oprimido bajo el pesado yugo del Faraón en Egipto. Desde ese momento, el pueblo de Dios siempre fue consciente de su responsabilidad para con los afligidos. De hecho, en Cristo vemos a un Dios que está del lado de los pobres, de los hambrientos, de los enfermos y de los excluidos. Por tanto, el cristiano no puede estar en otro lugar sino en ese. Ver como Dios siempre está de parte del pueblo oprimido es una llamada de atención también para la iglesia de hoy.

La Iglesia tiene la responsabilidad de ser como Jesús. Pero para muchos, no solo en el mundo, sino también en la Iglesia, tal Jesús se ha vuelto un extraño. Seducidos por el mundo posmoderno, su cultura consumista y hedonista, muchos han reinterpretado el cristianismo. Aquel que dijo: «Las zorras tienen guaridas, y las aves del cielo nidos; pero el Hijo del hombre no tiene donde reclinar la cabeza» (Mt 8, 20) ha pasado de moda y no es digno de ser imitado. «El afán por ser como este mundo ha llevado al cristianismo a pervertir la imagen del Dios extraño que se expresa en la historia del lado de los oprimidos y no de los opresores»[87].

Alfonso Ropero, en unas conferencias impartidas el 5 de abril de 2013 en Cali, Colombia, por motivo de la I Fiesta Internacional de las Artes y las Letras, expresó a la perfección este sentir, con el que coincidimos plenamente:

> Dios no tiene nada contra la economía, no podemos vivir sin ella, y de hechos somos llamados a ser buenos administradores de los bienes que Dios ha puesto en nuestras manos. Lo que Dios condena es ese tipo de sistema económico basado en la acumulación de la riqueza en manos de los más astutos, hoy corporaciones con poderes superiores a los de los estados nacionales, que se desentienden de la justicia distributiva y de la solidaridad humana. Como defendía el recién fallecido José Luis Sampedro, necesitamos una economía a nivel humano. Una economía para la persona, para un desarrollo sostenible, para un planeta habitable, donde la economía practicada por unas cuantas corporaciones voraces no ponga en peligro de extinción las poblaciones, humanas y animales, que hoy lo habitan.
>
> Dios está a favor de la vida, del que está por nacer, y del ya nacido. El cristianismo es redención, restauración del hombre a su dignidad, promoción de sus dones y capacidades con la ayuda del Espíritu Santo dado por el Señor Jesús. Defender y promover la vida es afirmar la libertad y la capacidad de cada cual

[87] RUSTER, T., *El Dios falsificado: Una nueva teología desde la ruptura entre cristianismo y religión*, Salamanca 2011.

para expresarse creativamente y la posibilidad de obtener los medios y el espacio necesarios a fin de que su creatividad sea fructífera y enriquezca la vida humana, la suya y la de su prójimo.

La divinización del Mercado ha dejado al hombre sin referencias transcendentales, reducido a un simple consumidor en el supermercado del mundo, haciendo de las iglesias también un mercado en las que entrar y salir sin compromisos personales, buscando solo pasar un buen momento.

La misión cristiana contribuye a la salud pública cuando dirige a los hombres y a las mujeres al compromiso con Dios, a la reconciliación consigo mismo con su prójimo, y a la resistencia de los ídolos modernos que niegan la dignidad humana y amenazan la vida y la libertad de los seres humanos.

La misión cristiana contribuye al bienestar general, enseñando a todos los hombres que somos responsables de nuestros hermanos delante de Dios. Que habremos de dar cuenta de nuestras palabras y nuestros hechos. Que lo que hacemos en el presente tiene repercusiones en el futuro.

Sería un sueño demasiado hermoso pensar que todos los creyentes se comprometieran con el proyecto de Jesús, que se entusiasmaran con él y se alegraran con él. Entonces entenderíamos que evangelizar es ilusionar, ilusionar con el mensaje liberador de Jesús, llevando vidas acordes a él.

3. La Iglesia debe permanecer siempre abierta al diálogo multidisciplinar

Se hace imprescindible recuperar el diálogo entre fe y ciencia, lo cual solo será posible cuando, a priori, se dejen claras las diferencias entre ambas disciplinas: en sus limitaciones, métodos y objetos de investigación. En palabras de Gallager: «Debemos desenmascarar el persistente mito del cientificismo como camino único hacia la verdad 'real'.»[88]

Luego, habrá que tener claro, que no puede existir verdadera disensión entre la razón y la fe —dones de Dios al servicio del hombre—, pues Dios no se contradice a sí mismo, ni la verdad se opone a la verdad. El diálogo, por tanto, puede comenzar por reconocer la distinción y los límites de la fe y de la teología, por un lado, y los límites de la ciencia experimental, por el otro. Es menester dilucidar la metodología de ambos, sus principios, sus propios objetos de investigación y la finalidad —por supuesto diversa— que persigue tanto la ciencia como la fe. Además, será necesario que ambas partes reconozcan mutuamente su utilidad en la búsqueda de la verdad, pues será imposible mantener un diálogo productivo si una de las partes considera que la otra carece de verdad.

Durante mucho tiempo se ha caído en el error de ver a la ciencia como enemiga de la fe y a la fe como enemiga del progreso científico. Es tiempo de superar estas dicotomías infundadas. El cristianismo debe de argumentar, afrontar el Aerópago y abandonar la

---

[88] GALLAGER, M. P., *El evangelio en la cultura actual: un frescor que sorprende*, Maliaño (Cantabria), 2014, 29.

comodidad del fideísta. La razón no puede ser vista como una enemiga, sino como una aliada. En este sentido, el quehacer teológico debe desarrollarse a la luz de otros saberes y disciplinas científicas. Josemaría Escrivá dice a este respecto que «no podemos admitir el miedo a la ciencia, porque cualquier labor, si es verdaderamente científica, tiende a la verdad. Y Cristo dijo: Ego sum veritas (Jn 14, 6). Yo soy la verdad»[89].

Teniendo en cuenta lo anterior, teorías como la evolución no tienen por qué ser vistas, al menos a priori, como enemigas de la fe cristiana, sino que, por el contrario, podrían ser conciliadas con la idea de un Diseñador inteligente que ha creado un universo con la capacidad de hacerse a sí mismo a través de procesos evolutivos y que precisamente por ello sigue presente en el mundo. El concepto de «creación continua» puede ser una solución para el dilema entre creación y evolución, pues nos muestra que la acción divina en el mundo no es un simple acontecimiento del pasado, sino una constante acción. No estamos obligados a abrazar una cosmovisión tradicional de la teología si esta resulta no ser del todo satisfactoria en la actualidad, a la luz de los avances científicos.

Quienes abogan por una fe fideísta, divorciada de la razón y del proceso científico, cometen el gravísimo error de rechazar uno los mayores dones que Dios ha dado a la humanidad para adquirir verdad. Por otro lado, quienes sobrevaloran la razón humana y no reconocen sus límites, se cierran a sí mismos las puertas para aprehender una

---

[89] ESCRIVÁ DE BALAGUER, J. M., *Es Cristo que pasa: Homilías*, Madrid 1984, 10.

verdad que trasciende los límites de la razón. No podemos prescindir de ninguna de las dos, pues la fe perfecciona la razón y la razón purifica nuestra fe. Debemos rechazar la falsa dicotomía fe-razón. Es menester reconocer que ni la fe puede describir la realidad de forma absoluta ni la razón puede hacerlo. Pero, cuando ambas se den la mano y se acepten mutuamente como dones de Dios, abrirán un nuevo y fascinante camino para adquirir conocimiento verdadero y adentrarnos en los profundos misterios de Dios.

4. La Iglesia debe recuperar la relevancia de la fe cristiana

El mensaje cristiano, para ser relevante en nuestra cultura y sociedad posmoderna, debe retornar a las fuentes a la misma vez que se abre al mundo moderno. El teólogo suizo Karl Barth describió muy bien esta preocupación al afirmar: «Un sermón hay que prepararlo con la Biblia en una mano y el periódico en la otra». El equilibrio entre ambos puntos evitará que el mensaje cristiano peque de falta de fidelidad a la revelación escritural o, por otro lado, de irrelevancia ante la sociedad contemporánea.

Un buen modelo de este equilibrio es ilustrado por el apóstol Pablo en su interacción con la sociedad griega en el Areópago[90]. Atenas, capital griega y centro de cultura, arte, filosofía y educación, fue el lugar en el que próceres filósofos de la antigüedad pronunciaron sus profundas reflexiones, muchas de las cuales dieron forma al

[90] Hechos 17, 16-34.

pensamiento de la sociedad en siglos posteriores. Nadie duda hoy día de la descomunal importancia que esta capital tuvo en el desarrollo de la civilización occidental. Y allí estaba el apóstol, demostrando que conocía y entendía lo mejor del pensamiento griego, de modo que pudo buscar elementos afines al mensaje cristiano que le permitieran construir puentes para llegar a sus oyentes de la manera más conveniente.

Pablo Martínez Vila escribe lo siguiente en relación con lo anterior: «Hay una forma de identificación con el mundo que es buena y necesaria por cuanto nos permite tender puentes»[91]. Creo que esa identificación es a lo que hacía referencia el apóstol Pablo cuando, dirigiéndose a la iglesia en Corinto, escribió:

> Con los judíos me he hecho judío para ganar a los judíos; con los que están bajo la Ley, como quien está bajo la Ley —aun sin estarlo— para ganar a los que están bajo ella. Con los que están sin ley, como quien está sin ley para ganar a los que están sin ley, no estando yo sin ley de Dios sino bajo la ley de Cristo. Me he hecho débil con los débiles para ganar a los débiles. Me he hecho todo a todos para salvar a toda costa a algunos. Y todo esto lo hago por el Evangelio para ser partícipe del mismo[92].

Este modelo exige de nosotros los cristianos una apertura al mundo y una renuncia a nuestros prejuicios, que nos posibilite conocer los valores, las creencias y, en

---

[91] VALERIO, R., *Una vida justa y sencilla: La fe y la comunidad en una era de consumismo*, Barcelona 2018, 13.
[92] 1 Corintios 9, 20-23.

definitiva, la cultura de la que somos parte. Así podremos, por un lado, evitar ser arrastrados o dominados por los aspectos negativos de la cultura[93] y, por otro, aprovechar las ventajas que esta nos ofrece a la hora de construir puentes de diálogo a través de los cuales llevar al mundo el tan preciado mensaje del evangelio.

Dijimos en la introducción de nuestro trabajo que hablar al hombre de hoy, en el lenguaje y la situación concreta del hombre de hoy, lo que fue dicho a otros hombres en un lenguaje y una situación muy distinta a la nuestra, supone uno de los mayores retos para la fe cristiana actual.

Puesto que la cultura evoluciona y cambia a una velocidad vertiginosa, la Iglesia debe estar alerta y en constante reflexión sobre los cambios que se producen en cada sociedad, de modo que pueda articular su discurso evangélico de manera entendible, pertinente y con sabiduría divina.

Del mismo modo, el periodo posmoderno supone un verdadero desafío lleno de escollos, pero también de ventajas. Si deseamos ser eficaces y capaces de superar escollos y sacar provecho a nuestra generación, se hace imperativo adentrarnos en la cultura, entenderla desde dentro, conocer la filosofía que la articula y dialogar con ella evitando reacciones polares.

A modo de reflexión, podríamos hacernos las siguientes preguntas:

---

[93] Romanos 12,2.

- ¿Qué tiene la teología del siglo XXI que aportar a un tema tan actual como el feminismo?
- ¿Qué contribuciones puede hacer la teología a asuntos tan delicados como el aborto, la eutanasia, etcétera?
- ¿Por qué es importante hacer teología en pleno siglo XXI?
- ¿Cómo puede enriquecer la teología propuestas científicas tan aceptadas hoy como la evolución de las especies?

Es menester reconocer que, para dar una respuesta teológica y consistente a todas estas preguntas, la teología debe salir necesariamente al encuentro de las ciencias, enriquecerse con ellas, iluminarlas y ofrecer respuestas que tengan en cuenta el conjunto de verdades que aporta cada campo del saber.

5. La Iglesia debe remarcar los fundamentos del evangelio

Ante el relativismo característico de nuestra sociedad posmoderna, la Iglesia y la cristiandad deben volver a remarcar los fundamentos del evangelio. Con fundamentos nos referimos a las verdades cristianas básicas, tales como: la realidad del pecado, la urgencia de la fe, la necesidad del arrepentimiento, la salvación por gracia en Cristo, etcétera.

El reconocido teólogo protestante, Donald Carson, resume bien esta idea al escribir:

> Hemos de decir constantemente que hemos sido creados por Dios y para él; que todos tendremos que dar cuentas ante él; que nuestro Creador es nuestro Juez; que la gracia que hemos recibido en Cristo nos lleva a hacer buenas obras, pero que nuestra última esperanza para el futuro es la conclusión de la historia, unos nuevos cielos y una nueva tierra que solo Dios puede traer; que el orgullo humano sufre la humillación no sólo de nuestras muertes individuales, sino de la muerte de las civilizaciones y, finalmente, del mundo mismo; que una sociedad que no reconoce estos puntos finalmente se convierte en grotescamente egoísta y se expone al juicio de Dios[94].

6. La Iglesia debe responsabilizarse de la diaconía de la Verdad

Es intrínseco al ser humano el deseo de conocer la verdad, pues de otro modo no podríamos conocernos siquiera a nosotros mismos. La búsqueda de la verdad, por tanto, es un excelente lugar de encuentro para que la fe y la teología dialoguen con otras disciplinas. Los cristianos confesamos haber tenido un encuentro personal con la Verdad (Jn. 14:6) y, por ende, en palabras de Juan Pablo II: «Entre los diversos servicios que la Iglesia ha de ofrecer a la humanidad, hay uno del cual es responsable de un modo muy particular: la diaconía de la verdad» (Carta Encíclica Fides et Ratio, 2).

---

[94] CARSON, D. A, *Amordazando a Dios: El cristianismo frente al pluralismo,* Viladecavalls 1999, 466.

A este respecto, los cristianos podemos iniciar un diálogo constructivo con la sociedad de nuestro tiempo, en torno a las grandes cuestiones existenciales (el origen y sentido la vida o de la muerte, la ética, la experiencia religiosa, la fe, etcétera) o cuestiones sociales (educación, pobreza, solidaridad, el pluralismo religioso o cultural, la paz, la política, la bioética, la belleza, la libertad religiosa, etcétera). Pero siempre, reitero, desde la humildad y el respeto, sabiendo que la verdad no se impone sino, únicamente, en virtud de su propia fuerza.

7. La Iglesia debe revitalizar la esperanza cristiana

El jesuita Michael Paul Gallager, citando a su vez al escritor católico Walker Percy, señala que «vivimos en un tiempo de sueños agotados, de promesas no cumplidas y de una racionalidad humana fracasada»[95]. Nuestra cultura, marcada por los valores y preceptos de la filosofía posmoderna, se caracteriza por la pérdida de toda esperanza y de fe en las promesas y utopías de la Modernidad. Esta realidad otorga al cristiano una nueva oportunidad ante el mundo.

Así como el apóstol Pablo, en su discurso ante el gobernador Félix (Hch. 24:14-16), procuró transmitir la esperanza que tenemos en Dios y en el evangelio de Jesucristo, los cristianos estamos llamados a revitalizar la esperanza cristiana en nuestro contexto, que es el mejor regalo que se le puede comunicar al hombre de hoy. En

[95] GALLAGER, *El evangelio en la cultura actual*, 32.

palabras de Lluís Oviedo Torró, el cristianismo tiene la posibilidad, frente a nuestro mundo occidental, «de responder a esas necesidades y de recuperar la afligida autoestima, para sentirse una vez más en el centro, no en la periferia del mundo real, y para hacer más efectiva su oferta de salvación»[96].

8. La sociedad y la Iglesia deben repensar la educación

En primer lugar, debemos olvidar la idea de que la educación consiste únicamente en la transmisión de información, y apostar por una experiencia práctica y dinámica, que fomente el aprendizaje social y emocional, así como el desarrollo de cada individuo particular. El nuevo modelo de sistema educativo debe estimular la creatividad del estudiante, producir pasión en el alumno y potenciar las diversas y múltiples inteligencias. De otro modo, la educación se convertirá en una frustrante carga, como ya lo es para muchos que deciden abandonar sus estudios, porque no ven en ellos ningún sentido, pasión o alegría.

Por otro lado, ya que en la sociedad posmoderna la razón ha sido sustituida por el sentimiento, el sistema educativo, sin dejar de lado la razón, debe hacer el esfuerzo de estimular los sentimientos y emociones del estudiante, de tal forma que este pueda disfrutar de lo que hace y sentirse realizado. Para ello, sería útil eliminar las jerarquías de asignaturas existentes en casi todos los

---

[96] OVIEDO TORRÓ, *La fe cristiana ante los nuevos desafíos sociales*, 11.

sistemas educativos. Normalmente, la lengua, las matemáticas y las ciencias ocupan el primer lugar en el escalafón educativo. Por debajo, se encontrarían las humanidades, tales como la geografía, filosofía, etcétera. Por último, estarían las disciplinas artísticas. ¿Quién ha determinado que este es el único patrón o el patrón más correcto? ¿Por qué no enseñar, por ejemplo, danza con el mismo rigor con el que se enseñan las ciencias? ¿Por qué debe existir tal jerarquía en el sistema educativo presente? Esta jerarquía podía tener sentido en el sistema educativo de la Modernidad, donde tales asignaturas eran más relevantes para el mundo laboral y la economía industrial, tal y como dictaminaba la razón. Pero es que el hombre posmoderno no acepta esa dicotomía entre razón y emoción, ni tampoco está interesado en mantener un proyecto de la Modernidad. El nuevo modelo educativo debe valorar por igual las diversas disciplinas, hacer el encomiable esfuerzo de enseñarlas con rigor y ampliar la visión de las diversas formas de inteligencia.

Toda la realidad señalada anteriormente también debe hacer pensar a la Iglesia cuál debe ser la forma de educar en la fe cristiana y la manera en que la fe cristiana tiene cabida en nuestro sistema educativo.

La educación en la fe cristiana debe comenzar en el marco familiar (Gn 18, 19; Dt 6; Pr 4, 1-4; 22, 6; Ef 6), pero también requiere del apoyo de la sociedad. Si estamos de acuerdo en que la sociedad actual no persigue únicamente la adquisición de conocimientos, sino la formación integral de la persona, debe dar cabida a aquellas disciplinas que contribuyan no solo al desarrollo psicológico, cultural, intelectual o moral, sino también espiritual.

Por otro lado, la fe cristiana no puede caer en el error de presentarse como la mera aceptación teórica de unos dogmas y creencias, sino como una experiencia personal y vivificante, en un encuentro real con la persona de Jesús, que produce verdadero gozo —incluso en medio de las inevitables aflicciones de la vida—, que ofrece respuestas satisfactorias a las necesidades y vacíos de la sociedad contemporánea.

Además, la fe cristiana debe fomentar el arte, la creatividad y el diálogo interdisciplinario, sabiendo que la fe puede aportar y enriquecer todos los ámbitos del ser humano y del sistema educativo. Solo cuando demos evidencia de ello, la sociedad entenderá los beneficios de la fe cristiana más allá de lo místico y reconocerá la necesidad de un espacio para ella en el sistema educativo. A este respecto, la fe cristiana, como reconoce el Consejo Pontificio de la Cultura:

> Prepara para vivir las relaciones fundadas sobre el respeto de los derechos y deberes. Prepara a vivir en un espíritu de acogida y de solidaridad, a ejercer un uso moderado de la propiedad y los bienes para garantizar justas condiciones de existencia para todos y en todas partes. El futuro de la humanidad pasa por un crecimiento íntegro y solidario de cada persona: todo hombre y todo el hombre (Cf. *Populorum progressio*, n. 42). Así, familia, escuela y universidad son

llamados, cada uno en su orden, a insertar la levadura del Evangelio en las culturas del III Milenio[97].

9. La Iglesia debe implicarse en el desarrollo del individuo

El individualismo posmoderno apunta a una de las necesidades más básicas del ser humano, a saber, el desarrollo integral del individuo. La Iglesia debe procurar favorecerlo, pero evitando siempre caer en los extremos del individualismo o del tribalismo. Además, debe enseñarse que el desarrollo pleno del individuo requiere también el desarrollo de toda la humanidad, creando un mundo de solidaridad y fraternidad. Sin embargo, debemos recordar continuamente, como señalamos en el punto anterior, que para conseguir la formación integral de la persona se debe dar cabida a aquellas disciplinas que contribuyan no solo al desarrollo espiritual del individuo, sino también, psicológico, cultural, intelectual, artístico, moral, etcétera.

Por otro lado, conviene tener en cuenta que la espiritualidad de Jesús siempre estuvo conectada a las realidades de este mundo (cf. Mt 11, 5; 19, 21; Lc 14, 13), por lo que favorecer el desarrollo de las personas requiere que la Iglesia se vuelque aún más en las necesidades materiales de la sociedad, y no únicamente en las espirituales, de modo que la credibilidad de nuestro

---

[97] Consejo Pontificio de la Cultura, *Para una pastoral de la* cultura, n. 16. Véase en: http://www.cultura.va/content/cultura/es/pub/documenti/pastoralecultura.html

mensaje ante el mundo aumente por nuestro testimonio práctico y visible.

La sensibilidad hacia cualquier grupo marginal de la sociedad que viva cerca de nosotros será una de las evidencias que convencerán al hombre posmoderno de la sinceridad y veracidad de nuestra fe. Debemos realizar esfuerzos intencionales por ayudar al necesitado y poner en práctica las palabras de Jesús: «El que tiene dos túnicas, dé al que no tiene; y el que tiene qué comer, haga lo mismo» (Lc 3,11).

10. La Iglesia debe dar coherencia al metarrelato cristiano a través de los pequeños relatos personales

Ya que la posmodernidad no acepta ningún gran relato que trate de unificar la realidad, como lo es el gran mensaje salvífico de las Sagradas Escrituras judeo-cristianas, sugerimos que uno de los mejores métodos de evangelización en nuestro tiempo consiste en la encarnación del metarrelato cristiano a las vidas y realidades particulares de los creyentes. De este modo, nuestros pequeños relatos personales de perdón, servicio, paz, caridad y liberación pueden recuperar el valor y el sentido del gran relato que las engloba a todas, a saber, el evangelio de Jesucristo. El mejor método de evangelización que podamos usar ante el mundo será siempre el ejemplo de una vida cristiana sinceramente comprometida con la persona y el mensaje de Jesucristo. Podemos ser buenos comunicadores y tener facilidad para transmitir el evangelio, pero si las personas no ven coherencia entre lo que vivimos y lo que enseñamos, nuestra predicación será vana. Por otro lado, «debemos estar preparados para contar nuestra propia historia, la historia de cómo nos convertimos al cristianismo, y lo que significa para ti»[98].

11. La Iglesia debe enfatizar las riquezas espirituales del evangelio

Una de las ventajas que supone para la proclamación del evangelio la posmodernidad es el creciente interés en lo espiritual y sobrenatural, fruto de la crisis de la Ilustración y la Modernidad. A pesar de ello, y como advertimos con anterioridad, este nuevo interés por lo espiritual se caracteriza por su desapego de las instituciones. Por ende, nuestra tarea evangelizadora no debe centrarse en «vender la iglesia como una institución»[99], sino en señalar y anunciar las riquezas espirituales del evangelio de Jesucristo (Mt 24, 14), por las que merece la pena dejarlo todo con gozo con tal de alcanzarlas (Mt 13,44).

12. La Iglesia debe apreciar más la cultura

Todas las culturas poseen elementos buenos y malos desde una perspectiva bíblica. Los elementos positivos reflejan que la humanidad es portadora del *imago Dei*. Los elementos negativos demuestran que esa imagen de Dios en el hombre se ha visto afectada por el pecado del

---

[98] GREEN, M.-MCGRATH, A., *¿Cómo llegar a ellos?*, Terrassa 2003, 65.
[99] GREEN & MCGRATH, *¿Cómo llegar a ellos?*, 65.

hombre. Así, toda cultura tiene sus sombras y sus luces. Sería injusto, por tanto, condenar con vehemencia las sombras de una cultura sin saber apreciar y honrar sus luces.

La cristiandad debe aprender a ver la mano de Dios en la cultura de una sociedad concreta, pues Dios ha derramado cierto grado de verdad y de sabiduría en todas las personas que conforman una sociedad, de modo que la cultura se ve en parte enriquecida por este don divino. De hecho, los cristianos podemos ser bendecidos a través de ellas. «Esto sugiere que nuestra actitud hacia cada cultura humana debería incluir el gozo crítico y la cautela apropiada»[100].

13. La Iglesia debe contextualizar la manera de presentar el evangelio

Cuando hablamos de contextualizar el evangelio no nos referimos a la adaptación o reinterpretación del mensaje cristiano de modo que este sea agradable a los oídos del hombre posmoderno. No podemos diluir o modificar el contenido del evangelio, pues al hacerlo, estaríamos cayendo el error que el apóstol condenaba en su epístola a los Gálatas, al escribir: «Como os tengo dicho, también ahora lo repito: Si alguno os anuncia un evangelio distinto del que habéis recibido, ¡sea maldito!» (Gá 1,9).

Con contextualizar queremos referirnos a la adaptación en la forma de comunicar el evangelio a una

---

[100] KELLER, T., *Iglesia centrada: Cómo ejercer un ministerio equilibrado y centrado en el evangelio en su ciudad*, Miami, Florida 2012, 117.

cultura concreta, sin poner en peligro la esencia del evangelio. Timothy Keller describe con maestría esta necesaria contextualización:

> Un evangelio contextualizado está marcado por su claridad y atracción, aunque reta la autosuficiencia de los pecadores y los llama al arrepentimiento. Se adapta a la cultura y se conecta con ella, pero a la vez la reta y la confronta. Si fracasamos en adaptarnos a la cultura o si no la retamos —si nos contextualizamos en exceso o nos quedamos cortos— nuestro ministerio no rendirá frutos, porque nuestra contextualización no se hizo bien[101].

La contextualización procura hacer entender a las personas que todas las narrativas culturales[102] de una sociedad determinada solo encuentran un feliz cumplimiento en la persona de Jesucristo. Para llevar a cabo esta contextualización, es de vital importancia que el cristiano se detenga y reflexione profundamente en la forma de presentar el evangelio, es decir, en el idioma a utilizar, el vocabulario, los ejemplos o ilustraciones, la forma de persuadir, de confrontar y de dirigir su mensaje, teniendo en cuenta las cosmovisiones y las respectivas narrativas culturales que articulan nuestra sociedad.

Una lectura de los discursos pronunciados por el apóstol Pablo a lo largo del libro de los Hechos sería suficiente para atestiguar el dinamismo que el evangelio

---

[101] KELLER, *Iglesia centrada*, 97.

[102] Con narrativas culturales hacemos referencia a todos los agentes que articulan la dinámica, la organización, las esperanzas, las metas, la cultura y la historia de una sociedad particular.

requiere a la hora de ser presentado a diferentes culturas y sociedades. Cuando su auditorio era judío citaba con más frecuencia las Sagradas Escrituras veterotestamentarias (Hch 13,13-43). Cuando su auditorio era gentil y pagano solía hacer alusión a la creación y a la revelación general (Hch 17,16-34). Este dinamismo supone una constante adaptación o contextualización cultural en su forma de presentar el evangelio.

Lo mismo sucede cuando observamos el ejemplo de Cristo. Al joven rico lo confrontó con la ley (Mc 10,17-31), cuyo propósito es que conozcamos —y reconozcamos— nuestro pecado (Ro 3,20), y que al ser inundados de una santa culpabilidad acudamos a Cristo buscando refugio (Gá 3,24). En cambio, a la mujer samaritana (Jn 4) no la confrontó con la ley, sino que, conociendo los deseos internos de su corazón, apuntó a la sed espiritual que había en ella, explicando que solo él podía satisfacerla. Esta adaptación cultural es una expresión del amor de Cristo y, por tanto, una expresión del amor cristiano.

14. La Iglesia debe imitar el modelo encarnacional de Jesús

La encarnación del Hijo de Dios debiera ser el modelo principal para toda evangelización de la cultura. En la encarnación, el *Verbo* de Dios asume en Jesús la condición humana (Jn 1, 14) y la cultura hebrea. Se identifica con la cultura al ser parte de ella, pero al mismo tiempo la reta. Esta verdad se hace evidente, por ejemplo, en el Sermón del Monte. John Stott diría que «el Sermón del Monte es la delineación más completa de la contracultura cristiana que existe en el Nuevo Testamento»[103].

Aunque consideramos que el término «contracultura» no el más adecuado, sí es cierto que los valores del reino predicados por Jesucristo —especialmente los relacionados con la ética y la espiritualidad—, chocaban frontalmente con los de la sociedad hebrea de su tiempo. El término «contracultura», que usan muchos autores para describir la relación entre la fe cristiana y la cultura, evoca la idea, a mi juicio equivocada, de que la fe cristiana se encuentra en abierta oposición a la cultura *per se*, como si esta fuese la antítesis de la cultura. Al entenderlo así, corremos el riesgo de rebajar el evangelio a una mera negación —falsa, por cierto— de todo lo relacionado con la cultura, o como una reacción —y, por tanto, posterior— a la cultura. Sin embargo, la fe cristiana no está en abierta oposición a la cultura, sino que, muy al contrario, está para retarla, enriquecerla y redimirla. El *Kerigma* no necesariamente choca, se enfrenta o va en dirección opuesta a la cultura. Cultura abarca mucho más que la ética, la moral o la religiosidad de un determinado grupo social, pues comprende también el arte, el folclore, la lengua, las tradiciones, el conocimiento, las creencias y las pautas de conducta de una sociedad. En este sentido, el mensaje cristiano debe inspirar, potenciar y enriquecer la cultura. Los cristianos no estamos llamados a vivir en

---

[103] STOTT, J., *El Sermón del Monte: Contracultura cristiana,* Barcelona 1998, 16.

una subcultura o a ser contracultura, sino a ser creadores de cultura.

Por supuesto, el mundo posmoderno supone un desafío que exige de los cristianos ciertos procederes o maneras de pensar "contraculturales". Es a esto a lo que el apóstol Pablo se refería cuando expresó: «No os acomodéis al mundo presente, antes bien transformaos mediante la renovación de vuestra mente, de forma que podáis distinguir cuál es la voluntad de Dios: lo bueno, lo agradable, lo perfecto» (Ro 12, 2). Pero recordemos siempre que la predicación del evangelio del Reino suponía para Jesús la creación —no la destrucción— de cultura. Una creación impulsada por el amor (*agape)*. Enseñemos los valores del Reino, pero desde dentro de nuestra cultura, en amor, sin imposiciones externas. Dejemos que su mensaje redentor haga precisamente eso, redimir la cultura.

Conclusión

Al comienzo de este trabajo reconocimos que estudiar la posmodernidad no es una empresa fácil. Mucho menos entender sus retos y proveer posibles respuestas. Nuestro trabajo ha procurado un acercamiento al estado de la cuestión; el desglose de las repercusiones que tiene la filosofía que subyace bajo la sociedad de nuestro tiempo y de los retos que esto supone para la fe cristiana actual, y aportando una serie de propuestas prácticas para la cristiandad.

Recordamos que un mínimo de sentido histórico debería llevarnos a ser críticos con la Posmodernidad, reconociendo la inexorable realidad de su desafío y procurando aprovechar sus posibilidades, así como evitar sus peligros. Esto significa que debemos evitar caer en el craso error de tomar una postura totalizadora a favor o en contra de la Posmodernidad. Aseveramos que hay un tipo de posmodernismo que es necesario y providencial. El Dios cristiano es el Dios de la historia, quien no cesa de trabajar y llevar a cabo su obra en cada tiempo, siendo en este sentido la Modernidad y la Posmodernidad parte del plan divino. No es que todo lo que contienen ambos periodos haya sido determinado por Dios, sino que la huella divina puede rastrearse en ambos periodos.

Conviene recordar aquí que Dios es Señor de los tiempos y de las culturas. Así que debemos aprender a ver la obra del Espíritu en cada tiempo y en cada cultura, incluida la nuestra.

Nuestro tiempo cuenta con la oportunidad de conjugar los valores positivos de la Modernidad con los valores positivos de la Posmodernidad. La búsqueda del equilibrio entre razón y amor, cerebro y corazón, voluntad y sentimientos, trabajo y ocio, colectividad e individuo, etcétera, contribuirá sin lugar a dudas al desarrollo de una mejor sociedad. Con todo, esta oportunidad no está desprovista de considerables desafíos.

Los grandes retos que suponen para la fe cristiana el consumismo, el nihilismo, el hedonismo, la muerte de los ideales y de la verdad absoluta, el auge del relativismo, el fin de las metanarrativas, la apuesta por la diversidad y el pluralismo, el individualismo, la pérdida de fe en el progreso histórico, la deconstrucción del lenguaje, los cambios socioeducativos y el secularismo —características todas de la Posmodernidad—, pueden ser afrontadas con esperanza y valor por parte de la cristiandad, siempre y cuando estemos dispuestos a abrimos al diálogo respetuoso, a la autocrítica y a la construcción de "puentes" en vez de al levantamiento de paredes o barreras. Ejemplo de ello nos dio el apóstol Pablo, quien en su visita a Atenas (Hch 17), en medio del Areópago, inició un diálogo respetuoso y conciliador con el mundo pagano, reconociendo los valores positivos de su sociedad, al decir: «Atenienses, veo que vosotros sois, por todos los conceptos, los más respetuosos de la divinidad» (17,22). Tal disposición requiere que el cristiano sea un observador crítico de la sociedad y de la cultura, de modo que entienda a aquellos a quienes se dirige, usando un lenguaje que les sea familiar y pudiendo persuadirles a través la construcción de puentes de diálogo. Su mente abierta, su capacidad de contextualizarse y su disposición intencional a construir puentes fueron usadas por Dios para atraer a muchas personas paganas a la verdad del evangelio (17,34). ¡Sigamos su ejemplo!

En aras de construir estos puentes de contacto con la sociedad, he sugerido y desarrollado una serie de propuestas prácticas que, sin duda, favorecerán una mayor eficiencia y la consecución de los objetivos en nuestra labor evangelizadora. En primer lugar, la Iglesia debe dejarse "evangelizar", renunciando a la pretensión de saberlo todo y abriéndose y enriqueciéndose con los testimonios de la verdad de Dios que se encuentran más allá de la Iglesia misma. En segundo lugar, la Iglesia debe permanecer siempre abierta al diálogo multidisciplinar, enfrentando el Areópago con humildad y abandonando toda comodidad fideísta. Para ello es imprescindible reconocer los límites de la fe y de la teología, así como de la ciencia experimental, y buscar caminos donde ambas colaboren, reconociéndose mutuamente útiles en la búsqueda de la verdad. En tercer lugar, la Iglesia debe esforzarse por recuperar la relevancia de la fe cristiana, lo que requiere una constante reflexión sobre los cambios que se producen en cada sociedad, de modo que se pueda articular el discurso evangélico de manera entendible, pertinente y relevante, porque una cosa es evidente, «el posmodernismo no será la forma definitiva de la cultura y del pensamiento»[104]. En cuarto lugar, la Iglesia debe remarcar con valentía los fundamentos del evangelio, sabiendo que estos son la «fuerza de Dios para la salvación de todo el que cree» (Ro 1,16). En quinto lugar, la Iglesia debe responsabilizarse de la diaconía de la Verdad, buscando de manera activa e intencional, creando diálogos constructivos con la sociedad de nuestro tiempo, en torno a las grandes cuestiones existenciales y sociales. En sexto lugar, la Iglesia debe revitalizar la esperanza cristiana ante una sociedad sin esperanza, permitiendo que el mundo vea el inigualable valor y atractivo de la oferta de salvación. En séptimo lugar, la sociedad y la Iglesia deben repensar la educación, apostando una educación práctica y dinámica, que fomente el aprendizaje social y emocional, así como el desarrollo de cada individuo particular, favoreciendo la formación integral de la persona, dando cabida a aquellas disciplinas que contribuyan no solo al desarrollo psicológico, cultural, intelectual o moral de la persona, sino también espiritual. En octavo lugar, la Iglesia debe implicarse más en el desarrollo del individuo, evitando caer en los extremos del individualismo o del tribalismo, recordando que el desarrollo pleno del individuo requiere también el desarrollo de toda la humanidad, creando un mundo de solidaridad y fraternidad. Además, es imperioso que la Iglesia —no solo como institución, sino como cristianos particulares que conforman el cuerpo místico de Cristo— se vuelque aún más en las necesidades materiales de la sociedad, y no únicamente

[104] ERICKSON, *Teología Sistemática*, 168.

en las espirituales, de modo que la credibilidad de nuestro mensaje ante el mundo aumente por nuestro testimonio práctico y visible. En noveno lugar, la Iglesia debe dar coherencia al metarrelato cristiano a través de los pequeños relatos personales, viviendo un cristianismo más real y práctico, y estando siempre preparados para dar testimonio de nuestra pequeña historia de salvación. En décimo lugar, la Iglesia debe enfatizar las riquezas espirituales del evangelio por sobre las de la Iglesia institucional, aprovechando el creciente interés por lo espiritual y sobrenatural. En undécimo lugar, la Iglesia debe contextualizar la manera de presentar el evangelio, es decir, la forma de comunicar el evangelio a una cultura concreta, sin poner en peligro la esencia del evangelio. No existe un modelo único de presentar el evangelio válido para todas las sociedades y culturas. De modo que, si convertimos una forma concreta de presentar el evangelio en paradigma, estaremos con toda seguridad fracasando en el desarrollo de la Gran Comisión. La adaptación cultural es imprescindible, aparte de una genuina expresión de amor por parte del creyente. Y, en último lugar, sugerimos imitar el modelo encarnacional de Jesús, quien se identificó con una cultura y se involucró profundamente en su vida cívica y corporativa, retando, inspirando, potenciando y enriqueciendo la cultura con los valores del Reino. Como cristianos estamos llamados a enseñar los valores del Reino, pero desde dentro de nuestra cultura, en amor, sin imposiciones. Dejemos que su mensaje redentor haga precisamente eso, ¡redimir la cultura!

Trabajos posteriores pudieran ampliar y concretar múltiples maneras prácticas de llevar a feliz cumplimiento las sugerencias que aquí se han hecho. Sin embargo, estas trece propuestas posibilitan un prometedor camino a recorrer que sin duda dará sus adecuados frutos.

Por supuesto, la verdadera y definitiva solución a todos los problemas de la sociedad posmoderna —y, en realidad, de cualquier sociedad futura— se encuentra, desde una perspectiva cristiana, en la Parusía. La esperanza última del cristiano es escatológica. Pero la escatología cristiana siempre está impregnada de aquella tensión constante entre el «ya» y el «todavía no». Eso significa que el cristiano no debe abandonar a su suerte el devenir de esta sociedad, sino involucrarse en ella, entenderla desde dentro, conocer la filosofía que la articula y dialogar con ella evitando reacciones polares.

> Es necesario que los cristianos comprendamos la cultura y nos involucremos en ella porque, en primer lugar, nos debemos a Dios como Creador, y debemos agradecerle lo bueno que aún queda en la creación caída viviendo de forma creativa, es decir, guardando los patrones y normas que él ha establecido para la creación, aunque estemos esperando la llegada de una nueva creación[105].

En definitiva, la Iglesia está llamada a retar a la cultura, al mismo tiempo que es retada por ella. El cristiano debe hacer todo lo que esté a su mano por mejorar la cultura y

---

[105] CARSON, *Amordazando a Dios*, 464, citando a su vez a MEYERS, K., *Christianuty, Culture, and Common Grace*, Powhaten 1994, 3.

la sociedad, sabiendo que el éxito total no será alcanzado hasta el cumplimiento absoluto de aquella oración de Jesucristo: «Venga tu reino. Hágase tu voluntad, como en el cielo, así también en la tierra» (Mt 6, 10). Solo entonces todas las culturas encontrarán redención en Cristo. Mientras tanto, cumplamos nuestra responsabilidad profética con esperanza.

> Nuestra esperanza está en Cristo, quien prometió que edificaría su iglesia (Mateo 16:18). En última instancia, la iglesia depende de Cristo. Pero esta verdad no debería llevarnos a la pasividad o al conformismo. La iglesia es un instrumento en las manos de Dios para alcanzar a cada generación. ¿Queremos que la iglesia dé frutos en medio de esta sociedad postmoderna? Jesús dijo: "Permaneced en mí, y yo en vosotros. Como el pámpano no puede llevar fruto por sí mismo, si no permanece en la vid, así tampoco vosotros, si no permanecéis en mí. Yo soy la vid, vosotros los pámpanos; el que permanece en mí, y yo en él, éste lleva mucho fruto; porque separados de mí nada podéis hacer" (Juan 15:4-5)[106].

[106] ESPINOSA CONTRERAS, J. D. (2018), *¿Qué será de la iglesia cristiana en Occidente en 20-30 años?*, Protestante Digital. Puede consultarse en: http://protestantedigital.com/magacin/44241/Que_sera_de_la_iglesia_cristiana_en_Occidente_dentro_de_20_o_30_anos

Bibliografía

ACERO COLMENARES, J. L., *Banca de inversión en la posmodernidad,* Bogotá 2018.

AA.VV., *Las bombas atómicas en Hiroshima y Nagasaki: Informe de los ingenieros del proyecto Manhattan*, Ediciones LAVP, Nueva York, EE.UU. 2019.

BARCLAY, W., *Comentario al Nuevo Testamento,* trad. A. Araujo, Viladecavalls (Barcelona) 2006.

BAUTISTA-VALLEJO, J. M., *Educar en la posmodernidad: Descubrir personas y orientar su desarrollo,* San José, Costa Rica 2006.

BAUMAN, Z., *Modernidad líquida*, Buenos Aires 2004.

BAUMAN, Z., *La globalización: Consecuencias humanas,* México 2007.

BAUMAN, Z., *Los retos de la educación en la modernidad líquida,* Barcelona, 2007.

BAUMAN, Z., *Vida de consumo,* trad. M. Rosenberg y J. Arrambide, Madrid 2016.

BERMEJO, D., *Posmodernidad: pluralidad y transversalidad,* Barcelona 2005.

BOTERO GIRALDO, J. S., *Posmodernidad y juventud: Riesgos y perspectivas,* Bogotá 2002.

CAMARA, H., *Cristianismo, socialismo, capitalismo,* Salamanca, 1974.

CARSON, D. A, *Amordazando a Dios: El cristianismo frente al pluralismo,* Viladecavalls 1999.

CAVANAUGH, W.-BERNABÉ UBIETA, C. (et al.), *La modernidad cuestionada: la corriente "Ortodoxia Radical" y su propuesta de una nueva "teología política"*, Bilbao 2010.

COMELLAS J. L., *Historia breve del mundo reciente (1945-2004)*, Madrid 2005.

CRUZ, A., *Posmodernidad: el Evangelio ante el desafío del bienestar*, Terrassa 1996.

DE ALBA, A., *Posmodernidad y educación,* México, 2004.

DONNER, T., *Posmodernidad y fe: una cosmovisión cristiana para un mundo fragmentado*, Viladecavalls 2012.

EFLAND, A. D.-FREEDMAN, K.-STUHR, P., *La educación en el arte posmoderno,* Barcelona 2003.

ERICKSON, M. J., *Teología Sistemática*, Viladecavalls 2008.

ESCRIVÁ DE BALAGUER, J. M., *Es Cristo que pasa: Homilías*, Madrid 1984.

GALLAGER, M. P., *El evangelio en la cultura actual: un frescor que sorprende*, Maliaño (Cantabria) 2014.

GONZALEZ CARVAJAL, Luis, *Ideas y creencias del hombre actual*, 3ª ed., Santander 1993.

GREEN, M.-MCGRATH, A., *¿Cómo llegar a ellos?*, Terrassa 2003.

HABERMAS, J.-JAMESON, F.(et al.), *La posmodernidad,* Barcelona 2008.

HABERMAS, J., *El discurso filosófico de la modernidad*, Madrid 2008.

JOAS, H., *Guerra y modernidad: estudios sobre la historia de la violencia en el siglo XX*, Barcelona 2005.

KANT, I.-CAMPILLO IBORRA, N. (et al.), *Crítica de la razón pura: ¿Qué es la ilustración?*, Valencia 2000.

KELLER, T., *Iglesia centrada: Cómo ejercer un ministerio equilibrado y centrado en el evangelio en su ciudad*, Miami, Florida 2012.

LANCTÔT, G., *La evolución hacia la nueva especie*, Colmenar, Málaga 2012.

LARREA ABASOLO, M. A., *Filosofía de la ciencia: Nociones básicas de epistemología para la investigación científica*, Madrid 2018.

LIPOVETSKY, G.: *La era del vacío. Ensayos sobre el individualismo contemporáneo*, Barcelona 1986.

LYOTARD, J. F., *La condición postmoderna*, Madrid 1987.

MARTÍN VELASCO, J., *Ser cristiano en una cultura posmoderna,* México 1996.

MARTÍNEZ, J. M., *Introducción a la espiritualidad cristiana,* Terrassa 1997.

OVIEDO TORRÓ, Lluís, *La fe cristiana ante los nuevos desafíos sociales: Tensiones y respuestas*, Madrid 2002.

PEREZ ANDREO, B., *La sociedad del escándalo*, Bilbao 2016.

PIPER, J., *Sed de Dios: Meditaciones de un hedonista cristiano,* Barcelona 2001.

RODRÍGUEZ MARTÍNEZ, J., *En el centenario de la ética protestante y el espíritu del capitalismo*, Madrid 2005.

RUSTER, T., *El Dios falsificado: Una nueva teología desde la ruptura entre cristianismo y religión*, Salamanca 2011.

STOTT, J., *El Sermón del Monte: Contracultura cristiana,* Barcelona 1998.

VALERIO, R., *Una vida justa y sencilla: La fe y la comunidad en una era de consumismo*, Barcelona 2018.

VATTIMO, G., *El fin de la modernidad: nihilismo y hermenéutica en la cultura posmoderna,* Barcelona 1997.

VATTIMO, G.(et al.), *En torno a la posmodernidad,* Barcelona 2003.

WEBER, M.-LEGAZ LACAMBRA, L., *La ética protestante y el espíritu del capitalismo,* Barcelona 2008.

WEBER, M.- WINCKELMANN, J., (et al.), *Economía y sociedad: esbozo de sociología comprensiva,* Madrid 2002.

WESLEY, J. T., *Posmodernidad y educación cristiana: Desafíos ideológicos contemporáneos, Enfoques* XXIV, 2, Tennessee 2012.

ARTÍCULOS

RODRÍGUEZ NEIRA T., *Algunas formas de la racionalidad. El problema educativo. Teoría de la Educación. Revista Interuniversitaria* [Internet]. 12 Nov 2009.

RUÍZ ROMÁN, C., *Revista Complutense de Educación, Vol. 21, Núm. 1,* 2010.

SOLÍS OPAZO, J., *Mal de proyecto: precauciones para archivar el futuro: ensayos de teoría de la arquitectura,* Santiago de Chile 2016.

TORRES QUEIRUGA, A., *El diálogo ciencia-fe en la actualidad,* Iglesia Viva nº 242, abril-junio 2010, 43-66

TORRES QUEIRUGA, A., *La razón teológica en diálogo con la cultura,* Iglesia Viva No. 192, 1997.

OTRAS OBRAS RECOMENDADAS

BALLESTEROS, J.: *Postmodernidad: decadencia o resistencia,* Madrid 1989.

BARCELLONA, P. *Posmodernidad y comunidad,* Madrid 1990.

BEJAR, H.: *El ámbito íntimo. (Privacidad, individualismo y modernidad),* Madrid 1988.

CABALLERO, B., *Bases de una nueva evangelización*, Madrid 1993.

DUMONT, L.: *Ensayos sobre el individualismo*, Madrid 1987.

ELIAS, N.: *La soledad de los moribundos*, México 1987.

INNERARITY, D.: *Dialéctica de la modernidad*, Madrid 1990.

JAMESON, F.: *Teoría de la Postmodernidad*, Madrid 2001.

LYOTARD, J. F., *Reescribir la modernidad*, Revista de Occidente, Nov. 66, 1986, 23-33.

MAFFESOLI, F.: *El instante eterno: el retorno de lo trágico en las sociedades postmodernas*, Buenos Aires 2001.

Made in the USA
Monee, IL
20 June 2023

36266446R00065